D1646862

Pour Monique Leroux,

avec mon amitié, elle qui

~~ON~~ N'ACHÈVE ~~BIEN~~ PAS LES JEUNES,

et qui sait qu'il faut au contraire leur donner toutes les chances qu'ils méritent. Dans la vie professionnelle comme dans celle de la cité. En France, au Canada comme ailleurs, c'est le même combat.

Bise et bravo, Mme la présidente

DU MÊME AUTEUR

C'EST POSSIBLE ! VOICI COMMENT… *[lettre ouverte à notre prochain(e) président(e)]*, avec Michel Pébereau, Robert Laffont, 2007.

LE PAPY-KRACH, Grasset, 2006.

L'IDÉAL ET LE RÉEL, avec François Miquet-Marty, Plon, 2006.

ÉTAT D'URGENCE : RÉFORMER OU ABDIQUER, LE CHOIX FRANÇAIS, avec Roger Fauroux, Robert Laffont, 2004.

NOTRE ÉTAT, LE LIVRE VÉRITÉ DE LA FONCTION PUBLIQUE, avec Roger Fauroux, Robert Laffont, 2001.

LA MORALE À ZÉRO : POUR UNE RECONQUÊTE CIVIQUE, Le Seuil, 1995.

MEURTRES À L'ENA (sous le pseudonyme de Camille Dubac), Calmann-Lévy, 1986.

BERNARD SPITZ

ON ACHÈVE BIEN LES JEUNES

BERNARD GRASSET
PARIS

Photos de couverture : © Bibliothèque Nationale de France.
Photo de l'auteur : © Ch. Lebedinsky.

978-2-246-85892-8

«Notre réponse est l'espoir
du monde : la jeunesse. Non pas
un temps de la vie mais un état
d'esprit, une trempe de la volonté,
une qualité de l'imagination, une
prédominance du courage sur la
timidité, de l'appétit d'aventure sur
l'amour des aises.»

ROBERT KENNEDY,
Vers un monde nouveau

«Pourquoi devrais-je
me préoccuper des générations
futures ? Qu'est-ce qu'elles ont fait
pour moi ?»

GROUCHO MARX

LES MAUX DE LA JEUNESSE FRANÇAISE EN 15 CHIFFRES

1. Un Français sur trois aura plus de 60 ans en 2060.
2. Chaque enfant français porte 30 000 euros de dette publique à la naissance.
3. Un salarié de 50 ans gagne en moyenne 40 % de plus qu'un salarié de 30 ans (contre un écart de 15 % il y a 30 ans).
4. Le patrimoine net médian des moins de 30 ans est de 7 200 euros, contre 211 000 euros pour les sexagénaires.
5. Plus d'un million des 18-29 ans vit sous le seuil de pauvreté, soit 13 % d'entre eux.
6. L'indice des prix des logements à la vente a augmenté de 70 % depuis 2000.
7. Les moins de 25 ans consacrent un tiers de leur revenu à se loger contre 5 % pour les plus de 60 ans.
8. Le taux de chômage des moins de 25 ans est de 24 %, soit 3 fois plus qu'en Allemagne.
9. 50 % des salariés de moins de 25 ans sont en contrat de travail précaire, contre 10 % des 25 à 49 ans et 5 % des plus de 50 ans.
10. Le taux d'échec en première année à l'Université est de 48 %.

11. 150 000 jeunes par an sortent du système scolaire sans qualification, soit un jeune sur cinq.
12. 20 % des étudiants sont concernés par un symptôme de trouble dépressif.
13. 19 % des étudiants n'ont pas de complémentaire santé.
14. 77 % des 18-34 ans se sont abstenus aux élections européennes de 2014.
15. L'âge moyen des députés élus en 2012 était de 60 ans (l'âge moyen de la population française étant de 40 ans).

Sommaire

Avant-propos

Il y a dix ans, j'écrivais *Le Papy-Krach*, avec la conviction que notre pays, sans en avoir conscience, était en train de sacrifier sa jeunesse. Qu'une France vieillissante s'installait dans le confort grâce à des prestations qu'elle n'avait plus les moyens d'assurer, sauf à gonfler des déficits... que la jeunesse devrait rembourser toute sa vie. Qu'on entravait l'accès des jeunes au marché du travail, aux mandats politiques, aux postes à responsabilités. Bref que les parents avaient organisé par négligence le hold-up du siècle, celui de leurs enfants. Et créé ainsi les prémices d'une inquiétante guerre des générations.

Dix ans après, rien n'a changé ; sauf en pire. La situation est plus dangereuse qu'on ne le croit. Et pourtant, les solutions sont plus à notre portée qu'on ne le dit.

Redonner confiance et envie à notre jeunesse, pas seulement dans les mots mais à travers les actes, est possible. C'est même la voie nécessaire pour le redressement du pays. Celle d'un nouveau contrat social fondé sur le pragmatisme contre les dogmes et qui préfère une ambition pour l'avenir à la nostalgie du passé. La voie d'une France qui accepte d'aller dans le sens de la vie et qui pourrait, demain, rassembler une majorité de Français.

Car c'est par la case jeunes qu'il faut passer si l'on veut résoudre les problèmes de la société française : la rigidité de notre marché du travail qui entraîne leur chômage ; notre compétitivité qui a besoin de leur énergie et de leurs qualifications ; l'adaptation aux nouvelles technologies dans lesquelles ils sont passés maîtres ; le financement de notre modèle social dont il faut assurer l'aggiornamento ; jusqu'au vivre-ensemble, avec la réponse républicaine et laïque à trouver aux périls communautaristes qui menacent.

De là découle le message central de ce livre : je veux dire aux jeunes que c'est à eux d'inventer le monde nouveau qui s'adaptera à eux, non l'inverse. Il n'y a aucune fatalité à ce qu'ils demeurent une éternelle variable d'ajustement dans la société française.

Si le pays réalise que sa jeunesse n'est pas le problème mais la solution et si cette jeunesse a le courage de saisir sa chance, nous pourrons nous retrouver autour d'un grand dessein fondé sur la mise en œuvre des quatre réformes fondamentales des savoirs, du travail, des comptes publics et sociaux, et de la citoyenneté.

Préface

Lettre à un jeune Français

Cher toi,

Bienvenue dans la France du troisième millénaire.

Tu vas commencer par aller en crèche, s'il y a de la place. Puis tu iras à l'école primaire et au collège où tu seras sélectionné par l'échec, de préférence grâce aux maths qui offrent les copies les plus faciles à corriger. Tu passeras ton bac vers 18 ans. Il te sera accordé plus comme une sorte de carte de fidélité à l'Education nationale que comme un diplôme. Il ne te servira pas à grand-chose de l'avoir, mais il serait extravagant que tu ne puisses en disposer, comme 8 à 9 sur 10 de tes camarades. Au fait, j'oubliais de te dire qu'à ta naissance, tu portais déjà sur ta tête, comme chaque Français, 30 000 euros de dette publique. Le doudou offert par tes aînés...

Te voilà bachelier et, sauf si tes parents t'y ont aidé – c'est-à-dire sauf si tu es fils d'enseignant ou de cadres –, il est probable que tu fais pas mal de fautes d'orthographe et que tu ignores les grands classiques de notre littérature. Par ailleurs, tu parles mal l'anglais et encore moins bien une seconde langue. Tu as de l'histoire une vision éclatée, sans capacité à replacer dans l'ordre chronologique – par exemple en nous en tenant à la lettre C – Cléopâtre, Charlemagne, Churchill, Catherine II, Colbert, Charles Quint, Castro, Clemenceau, Clovis. Tu n'as qu'une vision fragmentaire d'un monde global dont le centre de gravité est en train de basculer vers l'Asie. Tu ne sais rien de l'univers mystérieux de l'entreprise, considéré comme un lieu d'exploitation ou de subordination, bien que ce soit lui qui paye le salaire de tes maîtres et te permettra un jour de te nourrir, toi et ta famille. Quant aux nouvelles technologies qui façonnent le monde de demain, tu en sais déjà plus que tes professeurs.

Voici venu le temps de choisir de poursuivre tes études ou de commencer à travailler. Le marché de l'emploi t'étant fermé faute de croissance, tes chances de démarrer ici dans la vie active – hors réseau familial – sont réduites. Pour les entreprises, déjà frileuses à l'embauche, l'absence de qualification et d'expérience, conjuguée à un salaire minimum plus élevé qu'ailleurs, constituent un cocktail dissuasif.

Tu peux aussi décider de partir chercher du travail ailleurs. Si tu en as la volonté, si ton niveau d'anglais n'est pas désastreux et si ton entourage peut t'y aider, tu pourras aller voir du côté de Londres, par exemple, où tant de jeunes Français sont partis, comme jadis les jeunes Africains venaient chercher du travail en France ; ou encore en Allemagne, qui t'accueillera à bras ouverts. L'Europe du Sud, elle, est pour le moment hors jeu, sa jeunesse est encore plus sacrifiée que la tienne. Restent enfin les grands espaces canadiens, australiens, etc. Ils sont de plus en plus nombreux ceux qui s'en vont, non pas tant par envie de découverte que convaincus que leur salut est dans la fuite : loin d'une société conservatrice qui privilégie la rente sur l'initiative et taxe la réussite avant que de la susciter.

Si tu optes pour l'enseignement technique – passant outre au manque de considération avec lequel ces métiers utiles et recherchés sont traités dans notre pays –, tu devras trouver une bonne filière d'apprentissage, ce qui te sera bien plus difficile qu'outre-Rhin.

Si tu en as l'envie, tu pourras aussi opter pour l'université. Méfie-toi quand même de l'orientation qui te sera proposée, car elle est assurée par des gens qui connaissent le monde d'avant, pas celui qui t'attend. Tu auras accès à des filières réputées simples – du type psycho-socio –, mais qui ne t'offriront rien à la sortie. Elles existent plus parce qu'il y a des professeurs à occuper que des emplois à remplir. Ou tu iras vers des filières plus exigeantes qui, si tu n'es pas préparé à bosser dur, te rejetteront plus tard en te laissant sur le carreau. Au sujet de la sélection, nous sommes en France d'une immense hypocrisie. Tout le monde sait que si tu veux devenir joueur de football professionnel ou danseur de ballet, tu vas subir une concurrence terrible, consentir des sacrifices et supporter une discipline de tous les instants, sans garantie de succès. Mais dans l'univers scolaire, on te dira : « Fais ce qu'il te plaît », en ignorant les débouchés réels qui t'attendent sur le marché du travail. Résultat : un jeune sur quatre dans ta génération sortira chaque année du système sans qualification, ou avec des qualifications ne correspondant à aucune demande. Dans tous les cas, promis au chômage.

Si tu en as la volonté et la capacité, des filières d'études supérieures plus sélectives encore se présenteront à toi, soit en France avec les grandes écoles et certaines filières universitaires d'élite, soit dans le vaste monde, qui recrute de plus en plus de jeunes Français candidats aux écoles et universités anglo-saxonnes aujourd'hui, asiatiques et latino-américaines demain. Dans les deux cas, tu devras affronter un processus compétitif, assurer un niveau de langue décent et présenter un dossier en béton, où l'on ne retiendra de ton bac que la mention, et du reste de ton profil, les activités extrascolaires dont le système français se sera ingénié à t'écarter.

Viendra ensuite le moment de ton entrée sur le marché du travail. En France, on te demandera une expérience que tu n'auras pas, sauf à avoir fait de longs stages dans des entreprises qui obtiennent ainsi des compétences et de l'énergie à des tarifs si modestes qu'ils ne t'auront pas permis de subvenir à tes besoins. Il t'a donc fallu soit compter une fois de plus sur ta famille – encore faut-il qu'elle en ait eu la capacité –, soit disposer d'un prêt étudiant, qui t'a éventuellement été accordé si ta formation est de bon niveau. Il va te falloir maintenant accepter de travailler en faisant la même chose que d'autres, mais souvent en situation précaire et à bas prix. Espérons pour toi que tu n'es pas issu d'une « minorité visible », car alors tes chances d'avoir pu suivre ce parcours sans être bloqué d'une façon ou d'une autre, sont encore plus ténues.

Tu peux aussi te lancer comme entrepreneur. Sache toutefois qu'il y a peu d'élus ; que les capitaux disponibles pour les aventures naissantes sont rares ; que tu vas devoir affronter les incessants changements de notre législation fiscale, ainsi que les complexités du droit du travail auxquelles tu n'es pas préparé. Si les nouvelles technologies, en bousculant le poids des situations acquises, t'ouvrent de réelles opportunités, tu en viendras à te demander si c'est ici que tu as le plus de chances de réussir. Et si c'est bien dans notre pays que cette réussite te vaudra la reconnaissance matérielle et sociale à laquelle tu es en droit d'aspirer.

Si, au bout de ce chemin de croix, tu arrives finalement à franchir tous ces obstacles et que, fraîchement diplômé, tu trouves comme salarié un emploi durable, chose pour laquelle ton réseau personnel et familial – autre forme criante d'inégalité – aura été déterminant, dis-toi bien que tu es alors minoritaire. Dans la classe d'âge des 750 000 jeunes nés la même année que toi, rares sont ceux qui auront décroché un CDI avec un vrai salaire, conséquence logique de toutes ces années de travail et de formation. En un mot, tu es un privilégié, même si tu ne dois cette situation qu'à tes efforts. Peux-tu alors au moins considérer que tu es lancé dans la vie, enfin autonome et débarrassé des soucis matériels ?

Pas exactement, car te voilà désormais jeune salarié et donc volaille à plumer pour financer tous les déficits dont tes aînés t'ont laissé le fardeau. Tu es condamné à payer ! Imaginons que tu sortes par exemple d'une grande école de commerce et que tu entres comme cadre dans un grand groupe international qui va te payer 40 000 euros brut par an. Au regard de la moyenne nationale, tu es quasiment un nanti. Mais les charges sociales et la fiscalité font qu'il ne te restera que 2 350 euros par mois en net. Sur lesquels tu dois rembourser 620 euros sur ton prêt étudiant. Tu consacres 850 euros à une colocation car tu n'as évidemment pas les moyens de te loger seul à Paris. Il te reste alors 880 euros par mois, soit 29 euros par jour pour t'habiller, te nourrir, te déplacer, te soigner, te distraire… et épargner !

Un nanti à 29 euros par jour ! Et que dire de la situation de tes copains, un peu partout en France, qui n'ont pas eu la même chance que toi ? Ceux qui galèrent dans des voies sans issue pour des salaires de misère. Ceux qui pourraient travailler mais qui en sont empêchés par des réglementations archaïques. Ceux qui sont frappés par des handicaps qui se cumulent : foyer familial éclaté, environnement social dégradé, quartiers défavorisés, manque d'accès à l'information…

Tu te dis alors que tes aînés font décidément tout pour que 20 ans ne soit pas le plus bel âge de la vie.

Tu as raison.

Ce n'est pas à tes parents qu'il faut en vouloir, c'est à nous tous, collectivement, d'avoir laissé se tisser au fil du temps ce canevas morbide pour la jeunesse. Par lâcheté. Par paresse. Par négligence.

Il n'y a pourtant aucune fatalité à rester plus longtemps dans cette voie sans issue. Nous pouvons collectivement retrouver une marche en avant pour ta génération plutôt que de te traiter, toi et tes semblables, en variables d'ajustement. C'est l'objet de ce livre.

CHAPITRE 1

Politique : sur cette seule promesse

Qu'est-ce que la jeunesse française ? Tout.
Qu'a-t-elle été jusqu'à présent dans l'ordre politique ? Rien.
Que demande-t-elle ? A être quelque chose.

1. Changer la vie

Ce que Sieyes disait du tiers état pendant la Révolution française, peut servir pour la jeunesse aujourd'hui. Serions-nous à l'aube d'une nouvelle phase révolutionnaire ?

La période actuelle n'a rien à voir avec l'illusion lyrique de Mai 1968. Mesurons juste l'ironie d'une situation dans laquelle les rebelles d'hier sont devenus les conservateurs d'aujourd'hui, puisque c'est de leurs choix économiques et de la vision de la société façonnée par les post-soixante-huitards que notre jeunesse est devenue la victime.

Il est loin, le baby-boom qui incarnait la foi en l'avenir. Sans le dire, on a préféré le renoncement. Une France de vieux en forme, qui gèrent leur retraite aux frais de leurs enfants et petits-enfants. Une France pépère qui entend ne renoncer à aucune de ses habitudes. Elle appelle cela être fidèle à la tradition, mais c'est juste sa façon de s'accrocher – sans le dire – à ses privilèges. Après elle, le déluge…

Dans la France d'aujourd'hui, les jeunes devraient être tout puisqu'ils représentent notre avenir et notre raison de vivre. Ils sont notre principal atout par rapport à nos voisins et concurrents, à commencer par l'économie allemande. Sur eux reposent nos espoirs de compétitivité, de savoir, de création, d'innovation. Ils sont surtout nos enfants. Notre rôle et notre devoir doit donc être de leur transmettre le témoin pour que leur vie soit la meilleure possible.

Or ils ne sont rien dans l'ordre politique. Leur poids électoral est faible, les partis les manipulent, les partenaires sociaux s'en méfient. Les campagnes électorales les ont ignorés depuis 1974 jusqu'à « cette seule promesse » lancée en 2012 par François Hollande[1]. Mais qui porte

1. « Je ne veux être jugé que sur un seul objectif : (…) est-ce que les jeunes vivront mieux en 2017 qu'en 2012 ? Je demande à être évalué sur ce seul engagement, sur cette seule vérité, sur cette seule promesse. »

aujourd'hui la voix de la jeunesse française ? Le sexagénaire Jean-Jacques Goldman ou le papy Daniel Cohn-Bendit ! Quand ce n'était pas le regretté centenaire Stéphane Hessel. Prenons surtout garde à ce qu'ils ne soient tentés par les extrémismes de tous bords, là où l'on saura leur faire de la place. Ouvrons les yeux : les deux benjamins de nos assemblées appartiennent au Front national.

Nos enfants veulent être quelque chose ! Ils méritent de la considération, l'égalité des chances, des raisons de penser leur avenir ici et l'ambition de réussir leur vie selon leur talent et leur mérite. Or le présent qu'on leur propose est décourageant au point d'en pousser beaucoup vers l'exil[1]. Des inégalités dans le système scolaire aux rigidités du marché du travail, sans parler des difficultés du quotidien : logement, transport, violence, sexisme ou racisme, sont autant de raisons de prendre un aller simple vers ailleurs.

Changer la vie, ce serait déjà commencer par changer la leur.

1. Cf. « Jeunes de France, votre salut est ailleurs : barrez-vous ! » par Félix Marquardt, Mouloud Achour et Mokless, *Libération*, 2 septembre 2012.

2. Cela ne peut plus durer

Comme le dit l'ancien Premier ministre du Pakistan, Shaukat Aziz, « Les politiciens se soucient des prochaines élections ; les leaders se soucient des prochaines générations[1] ». Les dirigeants de notre pays reculent, eux, depuis des décennies devant l'obstacle. Non qu'ils ignorent ce qu'il faudrait faire, mais parce que gauche et droite jugent ces réformes hors de leur portée. Depuis trente ans et le livre blanc de Michel Rocard, alors Premier ministre, sur la réforme des retraites, toutes les occasions possibles ont été manquées.

Malheureusement, nous vivons dans une France malade du syndrome du jeu à somme nulle. L'idée que la croissance puisse faire de tous des gagnants n'a pas conquis les esprits. On critique par principe ce qui est accordé aux entreprises comme si cela était retiré aux salariés ; et ce qui pourrait être fait en faveur des jeunes est immédiatement perçu comme étant pris aux autres générations. Voilà pourquoi la France du XXIe siècle a commencé comme a fini celle du XXe : en fuyant le problème pour ne déplaire ni aux retraités, ni aux enseignants, ni

1. A la Conférence des Amériques, Montréal, juin 2015.

aux corporations, ni à la fonction publique, ni aux syndicats.

Au cours de la dernière décennie, la situation déjà mauvaise s'est encore dégradée. La dette publique est passée de 65 % en 2004 à 95 % aujourd'hui. Encore sous la barre de 20 % en 2004, le chômage des moins de 25 ans flirte à présent avec les 25 %. La France n'a jamais été aussi âgée. Elle n'a jamais autant dépensé pour ses inactifs. Elle vit sans croissance depuis la crise de 2008, ses gains de productivité sont faibles, sa fiscalité est écrasante et son endettement est massif. Elle a enregistré une baisse de la compétitivité de ses entreprises, qui ont vu descendre leur taux de marge à un plus bas historique entre 2010 et 2013 et ne le voient que lentement remonter. La population active qui devra régler la facture est la moins nombreuse de notre histoire contemporaine et les jeunes y seront proportionnellement à la fois les plus taxés et les plus lourdement frappés par le chômage.

Mais le plus grave est qu'en dix ans, c'est une génération de plus, née entre le début des années 1980 et l'an 2000, qui est allée de désillusion en désillusion. Rien de surprenant à ce que celle-ci, plus connue sous le nom génération Y, soit réputée briseuse de codes. Elle a certes grandi avec les nouvelles technologies et développé avec elles un rapport nouveau à l'apprentissage et au travail. Mais elle a surtout connu l'indifférence coupable de ses professeurs, employeurs ou élus. Comment s'étonner alors qu'elle ne croie plus aux études, à la carrière ou à la démocratie représentative, et préfère tracer son propre chemin !

Toutes les situations révolutionnaires sont parties dans l'histoire d'un constat qui se résume en cinq mots : « Cela ne peut plus durer. » La situation des jeunes dans la France d'aujourd'hui – comme dans une bonne partie de l'Europe, où l'on a vu naître Podemos et Syriza – ne peut plus durer. Voilà pourquoi il faut que cela change, vite. Ou tout ceci finira mal…

Il faut nous ressaisir face à ceux que Louis Chauvel a appelés *les forces du déni*[1]. Ceux qui continuent de soutenir, malgré les évidences, que la jeunesse est toujours et partout l'âge de l'incertitude et d'une précarité consubstantielle à ses cheveux un peu trop longs et ses idées un peu trop courtes. Ceux qui estiment que les jeunes ont perçu leur juste part du gâteau de la croissance et de l'allongement de l'espérance de vie et qu'ils ne seraient dès lors pas fondés à se plaindre. Ceux qui trouvent normal qu'un jeune sur le marché

1. Louis Chauvel, *Le Destin des générations : structures sociales et cohortes en France du XXe siècle aux années 2010*, Paris, PUF, 1998.

de l'emploi soit stagiaire jusqu'à 25 ans, en CDD jusqu'à 30 et smicard jusqu'à 35 ans.

Ces forces du déni ont créé au fil des ans dans la jeunesse un mélange hautement inflammable de découragement et de révolte. A ces jeunes-là, quel espoir donne-t-on ? « Le fossé entre les générations, écrivait Robert Kennedy, ne sera jamais complètement comblé, mais il faut l'enjamber. Car la liaison entre les groupes d'âges différents est essentielle (...), elle conduit en un certain sens au cœur même de nos vies. Quelles que soient nos divergences, quelle que soit leur profondeur, il est vital pour nous comme pour eux que les jeunes sentent la possibilité du changement, qu'ils soient entendus (...). C'est cela surtout que nous recherchons, ce sentiment d'une possibilité[1]. »

3. La possibilité du réformisme

François Hollande a senti cette aspiration en 2012. Pour la première fois depuis 1974, les jeunes sont apparus au centre de la campagne présidentielle. Au Bourget, le candidat Hollande s'est adressé à une jeunesse « trahie, sacrifiée,

1. Robert Kennedy, *Vers un Monde nouveau*, Paris, Stock, 1968.

abandonnée, reléguée» en lui promettant que c'était pour elle qu'il voulait présider la France.

Son gouvernement a vu apparaître des têtes neuves. Derrière ces quelques symboles – ce qui n'est pas rien –, les changements se sont fait attendre. Le mariage pour tous et le CICE[1] ne peuvent pas être l'arbre réformiste qui cache la forêt des sujets essentiels: éducation, logement, emploi, pouvoir d'achat, inégalités, apprentissage, compétitivité, financement des retraites, système de santé, complexité administrative… L'Accord national interprofessionnel[2] de 2013, les contrats de génération et les mal nommés «emplois d'avenir» ne sont pas à la hauteur de la révolution nécessaire.

L'arrivée de Manuel Valls à Matignon a marqué un point d'inflexion. Dans un pays qui, selon ses propres mots, a pris vingt ans de retard, «Les Français sont favorables aux

1. Le «crédit d'impôt compétitivité emploi» (CICE) est un avantage fiscal donné aux entreprises en fonction de leur masse salariale, qui équivaut à une baisse de charges sociales sur les salaires inférieurs à 2,5 Smic versés par l'entreprise.

2. L'Accord national interprofessionnel résulte d'une négociation entre partenaires sociaux au niveau national conclu le 11 janvier 2013, «pour un nouveau modèle économique et social au service de la compétitivité des entreprises et de la sécurisation de l'emploi et des parcours professionnels des salariés». Il a notamment porté sur les droits rechargeables à l'assurance chômage, la généralisation de la complémentaire santé minimale et l'encadrement des temps partiels.

réformes. Parfois plus que les responsables politiques[1] ». Service civique et prime d'activité[2] en ont été les premiers signaux. La loi Macron votée au 49/3 et la réforme du collège engagée par Najat Vallaud-Belkacem ont marqué le tournant réformiste qui s'attaque au dur. Une action massive en faveur de l'apprentissage – maltraité aux débuts du quinquennat – est attendue pour en constituer une nouvelle étape. Mais la garantie d'une évaluation flatteuse *sur cette seule promesse* n'est pas acquise d'ici à 2017. Il est clair qu'il reste énormément de chemin à faire.

Rien ne saurait justifier la résignation. Emploi, logement, éducation, santé, retraites, citoyenneté sont autant de sujets où les solutions sont à notre portée, on les passera en revue au fil des chapitres suivants. Il faudra pour cela bousculer des situations acquises, innover, rajeunir, s'inspirer des meilleures pratiques étrangères, modifier nos méthodes, décloisonner, décentraliser, faire confiance. Et inventer une nouvelle donne en forme d'alliance entre les générations. C'est ce à quoi devrait s'atteler, selon les mots de Manuel Valls, « une gauche efficace, une gauche

1. Conférence de Munich du 21 mai 2015 devant la fondation BMW et l'Institut d'économie IFO.

2. La prime d'activité est le dispositif qui résultera, à compter de 2016, de la fusion du « RSA activité » et de la prime pour l'emploi. Elle sera notamment ouverte aux 18-25 ans alors que le RSA ne l'est pas.

qui marche, qui récompense le mouvement et l'effort[1] ».

Les jeunes de ce pays sont notre force vive. Il faut armer cette force, lui donner les moyens et l'envie de faire sa place, coûte que coûte. Lui manifester notre désir de l'écouter et d'agir. La placer aussi devant ses responsabilités.

Elle n'attend que ça.

1. Conférence de Munich du 21 mai 2015.

CHAPITRE 2

Démographie : Vieille France

Gouverner, c'est affronter l'imprévisible. Sauf dans le seul domaine qui permet aux gouvernants de prévoir à long terme : la démographie, la science de la population.

De cette discipline, tout dépend. Elle éclaire l'avenir de la planète, des enjeux de la lutte contre le sous-développement aux déplacements de population, d'un continent à l'autre. La France a la chance de disposer d'une remarquable compétence scientifique dans ce domaine.

Une génération de dirigeants avait donc non seulement la possibilité de savoir ; elle en avait le devoir. Ni Valéry Giscard d'Estaing, ni François Mitterrand, ni Jacques Chirac ne pouvaient ignorer que la France connaîtrait, autour de 2005, un retournement démographique ; en d'autres termes, que le nombre de personnes âgées inactives s'accroîtrait brutalement quand celui des jeunes actifs diminuerait.

Il fallait décider. Pour cela, privilégier le futur par rapport au court terme. Il aurait aussi fallu prendre le risque de déplaire à la population des plus de 60 ans – que l'on n'appelait pas encore des « seniors » – déjà importante électoralement.

Retour au XXe siècle : la génération née au début du siècle précédent s'est constituée en un lobby efficace pour revaloriser ses droits à la retraite. Elle a obtenu de forts transferts de richesses à son profit, qu'elle a négociés avec la population des baby-boomers née dans les années euphoriques d'après-guerre. Ces derniers n'ont pas eu le cœur de refuser à ceux qui avaient traversé deux guerres mondiales le plus grand confort de vie possible en leur vieil âge. Dans une France où le chômage était faible et l'inflation forte – exactement le contraire de la situation actuelle –, la protection des rentiers était gravée dans tous les programmes politiques.

On aurait pu penser que cette génération de soixante-huitards avait un sens de l'égalité qu'elle aurait à cœur de transmettre à ses enfants. Mais elle a oublié ses idéaux en route et préféré s'en remettre à la solution de facilité : la fuite en avant.

Face au choc pétrolier et à la crise économique, les baby-boomers sont rentrés dans le rang. Ceux qui défendaient une croissance douce avec le Club de Rome ont fait la queue devant les pompes des stations-service, quand l'essence est venue à manquer. Cette génération a beaucoup travaillé, subi la stagflation, provoqué en 1981 l'alternance, voulu l'Europe avant de s'en désenchanter, payé le prix de la désinflation compétitive, joué le jeu de l'adaptation à l'économie moderne et à la mondialisation. En contrepartie de ces efforts, elle a joué perso, assumant son individualisme, construisant le trône psychologique de l'enfant-roi sans financer son avenir.

Ainsi, c'est bien l'alliance des retraités des années 70 et des baby-boomers prenant leur relève, qui a décidé depuis un demi-siècle des grands choix, ou plutôt de l'absence de choix dans notre pays. C'est elle qui a creusé les déficits, repoussé les réfomes, choisi l'évitement.

Les jeunes du XXIe siècle savent qu'ils ne pourront plus à leur tour refiler la facture aux générations d'après. Pour eux, il reste à régler la note et à la payer cash. Car en 2015 la démographie, toujours aussi éclairante, montre que le choc des générations est déjà gravé dans la structure de notre population, à travers deux données clés :

— La première, c'est qu'en dépit d'une natalité dynamique[1] la population française, de

1. Notre taux de natalité est largement supérieur à celui de l'Allemagne, meilleur qu'en Italie et en Espagne, comparable à ceux du Royaume-Uni, de la Suède et des Pays-Bas.

66,3 millions d'habitants en 2015, va peu croître au cours des trente prochaines années ;

— La seconde, c'est qu'en revanche, elle va vite vieillir : une personne sur trois aura plus de 60 ans en 2060 contre une sur cinq en 2000. Il y aura par conséquent de plus en plus de personnes inactives dans la population totale.

La singularité française n'est pas dans ce vieillissement, qui est le destin commun des Européens. Elle tient à notre incapacité à l'anticiper et à l'ampleur des corrections à mener, si l'on veut rétablir l'équité entre générations.

1. Un vieillissement annoncé

Les raisons en sont connues. D'abord la baisse de la fécondité – c'est-à-dire du nombre de naissances par femme en âge d'avoir des enfants – observée à partir des années 60, qui a réduit les effectifs des générations ayant des enfants au cours des cinquante ans à venir, même si nous conservons un taux de fécondité plus élevé que le reste de l'Europe. Seconde explication, moins connue, une immigration ralentie, du fait d'un plus strict contrôle des titres de séjour et de la moindre attractivité économique de la France, relativement à d'autres pays d'accueil. Le solde migratoire est ainsi passé selon le ministère de l'Intérieur de 100 000 à 50 000 personnes par an au cours de la décennie.

Tout cela fait que selon le scénario central de l'Insee, un habitant sur trois aura 60 ans ou plus en 2060[1], que les plus de 85 ans seront alors près de 5 millions et demi et qu'un fléchissement plus grave que prévu de la fécondité ou du solde migratoire conduirait la population française à diminuer avant d'avoir atteint le seuil de 70 millions d'habitants.

Ce vieillissement annoncé est inéluctable. Il témoigne d'une hausse de l'espérance de vie qui constitue une excellente nouvelle. Les progrès de la médecine, le recul des accidents du travail, une meilleure hygiène, tout cela permet de faire de la retraite une période de la vie tournée vers l'accomplissement personnel et les services rendus à la collectivité. Voyons-y, si nous en sommes capables, une ambition collective : celle du prélude à une nouvelle alliance des âges et à une solidarité active entre générations.

A condition pour cela de sortir du déni ! Car tout se passe comme si ces évolutions démographiques demeuraient quelque chose de théorique, ignoré des sondages et du monde médiatique et dès lors absent de la décision

1. « Projections de population à l'horizon 2060 », *Insee Première*, octobre 2010.

collective. Comme en matière environnementale, nous regardons l'iceberg se rapprocher depuis quarante ans sans dévier notre trajectoire d'un pouce pour l'éviter. Or la vérité est que le déclin démographique, tout comme le changement climatique, a déjà commencé. Nous enregistrons une baisse substantielle du solde naturel depuis 2000. L'accroissement de la population constaté sur l'année 2013 est le plus faible enregistré depuis le début du millénaire. Alors que l'urgence est grandissante, la réaction se fait attendre.

2. La facture de l'inactivité

Le rapport entre actifs et inactifs va dessiner la France de demain. Pour nos jeunes, le problème n'est donc pas de se demander s'il y aura plus de personnes âgées à aider. La question cruciale est de savoir combien nous serons pour financer cette France vieillie. En d'autres termes, comment sera partagé l'effort financier global pour le rendre plus soutenable ?

Le ratio de dépendance économique, qui est le rapport entre le nombre de personnes d'« âge inactif » au sens démographique (moins de 20 ans et plus de 60 ans) et les personnes d'« âge actif » (les 20-59 ans), est voué à se dégrader considérablement si rien n'est fait. En 2007, il y avait en France 85 habitants d'âge inactif pour 100 personnes d'âge actif; de 85 %, ce rapport passera à 114 % en 2035 et 180 % en 2060.

A ces chiffres s'ajoute un élément de circonstance : l'inadaptation progressive des classes d'âge encore actives au sens statistique, mais dépassées par un état du monde et de la technologie qui leur échappe. Contrairement aux générations nées avant 1980, les jeunes des générations Y et Z « habitent le virtuel » comme l'écrit Michel Serres. « Par téléphone cellulaire, ils accèdent à toutes personnes ; par GPS, en tous lieux ; par la Toile, à tout le savoir : ils hantent donc un espace topologique des voisinages, alors que nous vivions dans un espace métrique, référé par des distances[1] ». La difficulté des plus de 50 ans à se maintenir dans la classe active est évidemment liée à divers facteurs, mais la « déconnexion » de bon nombre d'entre eux du monde connecté en fait partie.

Reste l'immigration pour changer la donne. Mais dans la France d'aujourd'hui, elle pose des questions d'identité et d'intégration redoutables. A supposer qu'une baisse du chômage liée au faible accroissement du nombre d'actifs vienne apaiser les tensions économiques qui font le lit

1. Michel Serres, *Petite Poucette*, Le Pommier, 2012.

du repli identitaire, l'idéal d'une immigration choisie, ciblée sur une main-d'œuvre étrangère jeune, qualifiée et en bonne santé n'est pas aisé à atteindre. On a vu l'incapacité de l'Europe à avancer une stratégie collective face au destin tragique des noyades de migrants, les égoïsmes nationaux – à commencer par le nôtre – contrariant le développement de flux légaux. De plus, qui dit que cette main d'œuvre-là préférerait venir chez nous ? La compétitivité internationale concerne les immigrés autant que les autres. Et s'agissant des meilleurs étudiants, si nous voulons les attirer, il faudra leur promettre autre chose que des universités gratuites mais sans moyens, une fiscalité décourageante, une opinion publique chauffée par le populisme et une quasi-impossibilité de travailler ici. La circulaire Guéant [1] a eu un effet désastreux que nous payons encore aujourd'hui : la France n'a pas encore retrouvé le nombre d'étudiants étrangers qu'elle attirait chaque année jusqu'à 2011 [2]. Le pari de l'attractivité française ne vise pas qu'à attirer les capitaux mais aussi les hommes et les talents.

1. Circulaire du ministère de l'Intérieur du 31 mai 2011, visant à diminuer le nombre d'étudiants étrangers pouvant travailler en France à l'issue de leur formation.

2. La France a accueilli 62 000 nouveaux étudiants étrangers en 2014, contre 65 000 en 2010 (source : ministère de l'Intérieur, 2015).

Résumons-nous. D'un côté, plus de vieux coûtant plus cher et qui n'ont pas assez cotisé, lorsqu'ils étaient dans la vie active, pour financer leurs retraites. De l'autre, moins de jeunes, déjà alourdis du poids de la dette et des engagements pris par leurs aînés pour les trente prochaines années. Enfin une immigration dont la maîtrise nous échappe encore largement[1].

La première moitié du XXIe siècle pourrait donc être celle de l'émergence d'une France âgée, vivant des revenus de son patrimoine et des cotisations arrachées aux jeunes générations. Une situation conflictuelle d'où ne peuvent sortir que des perdants.

1. En 2014, la France a délivré davantage de titres de séjour pour motif humanitaire (20 000 titres, en hausse de 17 % par rapport à 2013) qu'elle n'en a accordés pour motif économique (19 000 titres). Le principal contingent d'immigrés concerne le regroupement familial (92 000 titres délivrés en 2014).

CHAPITRE 3

Inégalités pour tous

Plus on avance dans la vie, plus on progresse en salaire et en patrimoine. Rien de plus naturel. Mais les grands équilibres de la société française se sont traduits depuis quarante ans par une rétention des richesses et des responsabilités au détriment des nouvelles générations. Celles-ci ont profité de multiples améliorations, notamment du point de vue des mœurs et des libertés publiques, mais rarement sur le plan économique et social.

Les jeunes ont en réalité été laissés pour compte, tant dans les phases de croissance que dans les périodes de crise. A tel point que leur situation financière s'est dégradée par rapport à celle de leurs aînés. L'Etat, plutôt que d'assurer l'équité intergénérationnelle, a été le complice d'un transfert organisé de la richesse vers les plus âgés.

Le qualificatif «jeunes» recouvre certes des réalités très différentes selon que l'on parle de lycéens ou d'étudiants, de jeunes actifs ou de chômeurs, d'exclus du système éducatif ou d'apprentis, de jeunes des cités ou de la bourgeoisie, de jeunes parents ou pas. Bourdieu écrivait ainsi que « la jeunesse n'est qu'un mot », non pas au sens où elle n'aurait rien de tangible et distinctif, mais dans la mesure où il n'est pas toujours aisé d'en tracer les contours. Pourtant, en tant que classe d'âge, les moins de 30 ans ont subi au fil du temps un creusement des inégalités *intergénérationnelles*, qui a entraîné l'essor d'inégalités *intragénérationnelles*, c'est-à-dire entre eux. Une génération précarisée est une génération dans laquelle la fracture sociale est ouverte entre ceux qui ont les moyens de se faire une place au soleil et les autres.

1. Les inégalités entre générations

Il n'est pas facile d'évaluer statistiquement en niveau de vie [1] moyen la situation des jeunes par rapport à leurs aînés. En effet, toute comparaison entre générations achoppe sur la difficulté de départager trois effets distincts : l'effet « âge », qui reflète l'évolution des revenus avec l'expérience et l'ancienneté professionnelle ; l'effet

1. Le niveau de vie étant défini comme le revenu disponible (c'est-à-dire comme le revenu après transferts) par unité de consommation du ménage.

« période », qui traduit l'impact de la conjoncture économique sur toutes les générations en vie à une date donnée ; enfin l'effet « génération » qui isole le strict effet de l'appartenance à une classe d'âge.

Les études économétriques ont produit quelques résultats intéressants bien que non consensuels. Les sociologues Louis Chauvel et Martin Schröder ont ainsi montré en 2014 que, depuis 1984, le niveau de vie relatif des trentenaires français par rapport aux sexagénaires avait chuté de 17 %[1]. Révélatrice en soi, cette trajectoire est à comparer à celle des trentenaires aux Etats-Unis, au Royaume-Uni ou en Allemagne, dont le niveau de vie s'est maintenu ou a progressé par rapport à celui des seniors. Il n'y a donc rien d'inéluctable dans cette injustice.

Certains facteurs purement démographiques et sociologiques ont accentué les inégalités de revenus entre générations. Ainsi l'allongement de la durée de la vie active a eu pour effet de retarder l'âge du « pic salarial » des travailleurs, à présent plus proche de 55 ans que de 40 ans comme dans les années 80[2]. En grande partie sous l'influence de cet « effet retard » dans la

1. Chauvel et Schröder, « Generational inequalities and welfare regimes », *Social Forces*, 2014.

2. Guillaume Allègre, « La jeunesse, génération sacrifiée ? », note de l'OFCE, 2011.

progression des rémunérations, l'écart de revenus entre un salarié de 50 ans et un salarié de 30 ans est passé de 15 % à 40 % entre 1975 et 2005 ! L'écart de revenus entre un père et son fils au cours d'une même année s'est ainsi creusé considérablement.

2. Héritage en otage, logement dans les dents !

Ce glissement de richesse vers les anciennes générations est d'autant plus criant lorsqu'on s'intéresse au patrimoine. L'INSEE relève qu'en 2010, le patrimoine net médian des moins de 30 ans était de 7 200 euros, contre 211 000 euros pour la tranche des 60 à 69 ans, reine de la catégorie. Rien de choquant à ce que le patrimoine global des Français s'accumule avec l'âge avant de décliner légèrement, selon le cycle de vie classique. Mais en matière de patrimoine également, on constate un effet « période » et un effet « génération », qui attestent d'un enrichissement relatif des seniors.

Dans un pays où l'immobilier compte pour plus de 60 % du patrimoine des ménages, l'explosion de la valeur des logements a creusé en quelques décennies un véritable fossé entre les générations déjà propriétaires et les jeunes primo-accédants. L'INSEE montre ainsi que le «taux d'effort» des jeunes ménages pour se loger a décollé, sous le coup de la hausse du prix des habitations, à l'achat comme à la location. Après avoir globalement stagné jusqu'en 2000, l'indice du prix des logements à la vente a crû de 70 % en 15 ans. Parallèlement, le loyer moyen versé par les locataires a doublé par rapport à leur revenu depuis les années 70, entre autres sous l'effet d'un appauvrissement de ces locataires. En conséquence, les jeunes d'aujourd'hui occupent à prix d'or des logements dont la taille n'a cessé de se réduire, comme un étau qu'on resserre : en 1984, les moins de 30 ans étaient 17 % à vivre dans un logement d'une pièce unique et 16 % à occuper un logement de quatre pièces ou plus. En 2002, ils étaient 25 % à vivre dans une seule pièce et moins de 10 % dans 4 pièces ou davantage. Les ménages «non jeunes» ont connu la trajectoire inverse sur la même période : ils étaient 65 % à occuper des T4 ou plus[1] au début des années 2000. Selon l'Observatoire des inégalités, les moins de 25 ans consacrent en moyenne un tiers de leurs revenus pour se loger, contre 5 % pour les plus de 60 ans[2].

1. Driant, Casteran, O'Prey, «Les conditions de logement des ménages jeunes», *Les travaux de l'Observatoire*, 2007-2008.
2. Rapport de l'Observatoire des inégalités, juin 2015.

Les gouvernements successifs ont savamment entretenu cette spirale haussière, par des politiques de solvabilisation de la demande qui ont alimenté la bulle immobilière et joué à l'avantage des propriétaires… jusqu'à la loi Duflot. Mais celle-ci en décourageant l'investissement immobilier par l'encadrement des loyers a surtout déclenché une crise sans précédent de la construction en France, à l'inverse de ce qui était nécessaire pour dégonfler la bulle immobilière, aggravant le manque de logements pour les jeunes. Une politique qu'il faut désormais renverser d'urgence par une hausse de l'offre dans les grandes villes, à même de modérer les prix et loyers, qui n'ont qu'à peine décrû dans les zones tendues. Outre la création ou l'extension de cités universitaires, une solution consisterait dans ces zones à permettre l'extension des copropriétés existantes en franchise de taxes et selon des règles d'urbanisme allégées.

Le second facteur d'inégalités de patrimoine vient de l'allongement de la durée de la vie, qui fait reculer le moment de l'héritage. Selon les travaux de Thomas Piketty [1], l'âge auquel on hérite est passé de 30 à 50 ans en moyenne, au cours du XXe siècle. L'héritage ne remplit ainsi plus le rôle qui était le sien d'installation des ménages

1. Thomas Piketty, *Le Capital au XXIe siècle*, Le Seuil, 2013.

et de soutien pour l'éducation des enfants. Aujourd'hui, il n'intervient souvent qu'après que les petits-enfants des défunts ont quitté le foyer de leurs parents. On ne va évidemment pas déplorer l'allongement de l'espérance de vie ni l'amélioration des conditions d'existence des seniors. Mais on observe que les possibilités offertes en matière de donations, qui ne profitent qu'à un individu sur huit, n'ont que très timidement permis de compenser ce ralentissement de la transmission du patrimoine. Ainsi en 2004, 20 % seulement des ménages de moins de 30 ans ont reçu un héritage ou une donation, contre 40 % des 40 à 50 ans et 51 % des plus de 50 ans.

3. Du vieux pauvre au jeune pauvre

Comme souvent en statistique, « le diable se niche dans la moyenne », ce qui peut conduire à omettre d'importantes disparités de situations. C'est le cas pour les jeunes générations : en s'intéressant aux jeunes les plus pauvres, on mesure dans toute son ampleur la détresse d'une partie de la jeunesse de France.

Autrefois rurale et âgée, la pauvreté est devenue jeune et urbaine, comme le montrent les études de l'INSEE.

Cela peut se lire de deux façons différentes. Du côté positif, en prenant acte de l'amélioration de la situation des seniors. La progression des retraites en est le principal élément. Entre 1970 et 1990, le revenu des retraités a augmenté deux fois plus vite que celui des actifs. S'y ajoute le développement du travail des femmes après 1945, qui a généré les droits à pension versés ensuite, dans les années 80. Au début des années 70, un quart des plus de 60 ans étaient encore en dessous du seuil de pauvreté ; ils ne sont plus que 4 % dans ce cas depuis 2011 [1].

Le revers de la médaille, c'est l'avènement du « jeune pauvre ». Aujourd'hui, le taux de pauvreté des 18 à 29 ans est supérieur à 13 % : rien qu'entre 2004 et 2011, l'INSEE a enregistré une hausse de 330 000 jeunes adultes vivant sous le seuil de pauvreté, chiffre qui a dépassé le million au total.

Pendant que le filet de protection sociale se densifiait pour les autres catégories de la population, les jeunes pendant longtemps n'ont pas bénéficié de minima sociaux, notamment pas d'accès au RMI puis RSA avant 25 ans [2] sauf s'ils ont des enfants à charge. Ils connaissent la

1. Source Observatoire des inégalités, données INSEE 2011. Seuil de pauvreté défini comme un niveau de vie inférieur à 50 % du niveau médian.

2. La nouvelle prime d'activité, intégrant le RSA activité, devant modifier cette donne, comme indiqué précédemment, à compter de 2016.

précarisation de l'emploi ou le recours abusif aux stages, et ceux qui sortent du système éducatif sans qualifications subissent l'exclusion.

Parmi les plus vulnérables, on trouve les jeunes ménages inactifs généralement issus de milieux modestes : 25 % ont un père au chômage, 55 % un père ouvrier, 5 % seulement un père cadre. Cumulant les handicaps, ils sont moins qualifiés, moins aidés par leurs familles. Leur taux de pauvreté après transferts sociaux et aide des parents atteint ainsi 50 % contre 15 % pour les étudiants après prise en compte des aides familiales. Faute de statistiques ethniques, la situation des minorités visibles est encore plus délicate à appréhender. Mais il est clair que les causes de vulnérabilité s'additionnent. Les jeunes qui vivent dans des quartiers difficiles, issus de milieux défavorisés avec des structures familiales fragiles ou inexistantes, un encadrement sans autorité si ce n'est celle des trafiquants ou des religieux, s'exposent à des phénomènes d'exclusion que les principes républicains sont impuissants à compenser.

Des changements apparaissent enfin dans la relation financière entre parents et enfants. L'immense majorité des jeunes de 19 à 30 ans ayant un logement autonome sont aidés par leurs familles. Cette aide représente la moitié des revenus de cette tranche d'âge : 8 000 euros par an en moyenne, en nature ou sous forme de versement monétaire[1]. Certains économistes s'appuient sur ces transferts pour relativiser les inégalités intergénérationnelles. A tort, car les inégalités sont massives entre ceux qui peuvent bénéficier d'un soutien familial et les autres. Et l'on ne peut comparer des aides volontaires, qui relèvent de la solidarité spontanée, avec les transferts massifs et organisés de protection sociale ou de dépense publique vers les générations du baby-boom, depuis plusieurs décennies.

Ce constat met en outre en lumière les inégalités intragénérationnelles qui se jouent derrière la précarisation des jeunes. Les abandonner à leur sort, ce serait s'en remettre à la sélection bourdieusienne où le destin des individus se joue au berceau.

Or l'ascenseur social reste désespérément en panne. En réaction, on assiste à des stratégies de lutte antidéclassement qui aboutissent aux situations décrites par Eric Maurin dans ses ouvrages[2] : les stratégies de choix des établissements scolaires sont à cet égard sans ambiguïté,

1. Dont une part importante représentée par le logement, puisque 74 % des non diplômés vivent chez leurs parents avant 35 ans.

2. Eric Maurin, *L'Egalité des possibles* et *Le Ghetto français*, Le Seuil, « La République des idées », 2002 et 2004.

chacun cherchant à fuir la catégorie sociale inférieure dont la fréquentation pourrait provoquer le déclassement de ses propres enfants.

Il en va de même pour le choix des logements, du fait du lien entre le prix du logement et la proximité avec une école de qualité. La carte scolaire renforce ces inégalités puisque les meilleurs établissements sont dans les quartiers les plus chers, réservant l'élite de l'éducation à l'élite des revenus. A l'autre bout de l'échelle sociale, dans les familles les plus défavorisées, dès les premières années de la vie, s'inscrivent des écarts qui se retrouveront amplifiés à l'école et dans la vie active. Eric Maurin note que les adolescents qui vivent dans des logements où il y a plus d'une personne par pièce, souffrent deux fois plus souvent de retard scolaire que les autres.

La crise ne fait qu'exacerber ces inégalités. Les jeunes qui s'en sortent ont eu soit des familles qui les ont aidés, soit beaucoup de talent, soit encore plus de chance et parfois les trois. Mais beaucoup ont des raisons de s'estimer *trahis*, pour reprendre le mot choisi par François Hollande.

CHAPITRE 4

Emploi : génération galère

S'il est un domaine dans lequel les jeunes sont LA variable d'ajustement de notre système, c'est bien celui de l'emploi. Chacun aura en tête des récits de « galère » de jeunes, plus ou moins proches, allant de stages en petits boulots, et dont l'entourage perd le sommeil à les voir vivre d'expédients à 25 ou 30 ans passés. Comment en est-on arrivé là ? La France est-elle un cas à part ? Quel diagnostic précis peut-on poser sur cette insurmontable difficulté pour certains jeunes à franchir le seuil du marché du travail ?

1. Un mal planétaire

Le chômage des jeunes est un fait structurant qui dépasse l'hexagone pour s'étendre sur le plan européen et même mondial. Muhtar Kent, le PDG de Coca-Cola, en a fait son cheval de bataille lors des grandes réunions internationales en constatant que pour la première fois dans l'économie moderne, les nouvelles générations se voient offrir moins d'opportunités que celles qui les ont précédées. Sa conclusion est nette : « Si nous n'agissons pas vite, la mosaïque sociale du monde dans lequel nous vivons va craquer.[1] »

Une prise de conscience internationale de l'urgence du problème est ainsi en train de s'opérer, en particulier sous l'impulsion des acteurs privés. Au G20 de Cannes en 2011, a été ainsi adoptée la première déclaration commune de l'histoire entre représentants des syndicats de salariés, conduits par la Confédération Syndicale Internationale (CSI), et représentants des employeurs, emmenés par le MEDEF, des 20 plus grands pays[2]. Elle porte sur l'emploi, la protection sociale ainsi que sur les principes et droits fondamentaux au travail. Dans la droite ligne de cette déclaration était lancée au Mexique l'année suivante une priorité à la lutte contre le chômage des jeunes qui préconisait notamment le lancement d'un programme

1. *Huffington Post*, 23 janvier 2014.

2. Les syndicats regroupés dans le L20 (Labour 20) animé par la Confédération syndicale internationale, sous la direction de Sharan Burrow ; les employeurs regroupés dans le B20 (Business 20) conduit par le Medef sous la direction de l'auteur.

en faveur de l'apprentissage dans les 20 pays concernés[1].

Au sommet de Davos de 2014, la réponse au chômage des jeunes apparaissait également comme un thème dominant. Mais alors que les nouvelles générations sont confrontées au chômage dans chaque pays, les employeurs se plaignent partout du manque de candidats qualifiés. Un récent rapport du World Economic Forum[2] évalue ainsi à 36 % les entreprises ayant des difficultés à recruter, un taux qui va croissant au fil des années. Ce paradoxe s'explique selon les pays, hors l'impact du niveau de croissance économique, par la combinaison de différents facteurs dont la flexibilité réglementaire, la place des jeunes dans le dialogue social et surtout la rapidité du système éducatif à s'adapter aux changements de tous ordres qui affectent le monde professionnel.

La France, elle, cumule tous les handicaps : faible croissance, rigidité réglementaire, faible poids des jeunes dans le rapport de force social, système éducatif inadapté. Cela porte un nom : la préférence française pour le chômage des jeunes.

---

1. Sharan Burrow et Bernard Spitz, « Au G20, patronat et syndicats main dans la main », *Le Figaro*, 4 novembre 2011.
2. Disrupting Unemployment, Business-led solutions for Action, avril 2015.

2. La préférence française pour le chômage des jeunes

Retour dans un passé pas si lointain : nous sommes au début des années 70, à la fin des Trente Glorieuses. Le pays est encore tendu vers la croissance, se félicite d'être une terre d'immigration et ne voit pas dans l'emploi un bien rare. Le taux de chômage des jeunes dans les deux ans qui suivent la fin de leurs études est de 6 %. Il est fréquent que ce soit eux qui choisissent leur employeur, plutôt que l'inverse.

Réveil brutal aujourd'hui : pour la dernière génération, ce taux de chômage approche désormais les 25 %. Comme en matière de déficits publics, la France se console lorsqu'elle compare son taux de chômage des jeunes à ceux de l'Europe du Sud : 53 % en Espagne, 45 % en Croatie, 34 % au Portugal ; mais elle se désole face à l'Allemagne et aux Nordiques : 7,5 % outre-Rhin, 12 % aux Pays-Bas.

Ce taux n'est certes qu'une moyenne et certains jeunes conservent le privilège d'échapper à une lente et difficile insertion sur le marché du travail. Mais être en mesure de choisir son emploi en fin d'études est rare. C'est l'apanage de jeunes ayant un niveau éducatif élevé ou des qualifications spécifiques : les diplômés d'écoles professionnelles, comme les écoles d'infirmières ou de sages-femmes, les BTS en assurances ou les métiers manuels techniques réclamés par les employeurs. Les diplômés de formations supérieures prestigieuses, grandes écoles d'ingénieurs et de commerce notamment, sont aussi dans ce cas. Mais ils sont trop peu nombreux et, même pour eux, la durée d'accession à un premier vrai salaire et à un CDI s'allonge.

On objectera que le taux de chômage des moins de 25 ans est comptabilisé sur la population active des jeunes. Il exclut donc les étudiants, ce qui fait que les jeunes sortis prématurément du système scolaire sont surreprésentés en son sein. Mais d'autres indicateurs sont indépendants de ce biais statistique, tels que le ratio entre taux de chômage des jeunes et taux de chômage global. Au vu de celui-ci, on réalise à quel point la situation française est préoccupante. Chez nos voisins anglo-saxons, du Nord ou de l'Est, les moins de 25 ans ne sont frappés par le chômage qu'environ 1,5 fois plus que la moyenne de la population active, contre plus de deux fois pour les jeunes Français. Pour quelle raison notre jeunesse serait-elle intrinsèquement plus sujette au chômage ? Serait-elle plus paresseuse, moins chanceuse, plus maladroite, moins entreprenante que toutes les autres ? Balivernes, évidemment.

Si l'on peut tenter de se réfugier derrière l'environnement économique pour expliquer notre taux de chômage global, il y a un chiffre dont nous devons assumer la pleine responsabilité : c'est l'écart entre les 24 % de chômage des jeunes et les 10 % de l'ensemble de la population. La voilà, la preuve de la préférence française pour le chômage des jeunes.

Mais qui en parle ? Alors que réduire cet écart devrait être notre premier but de guerre.

3. Précarité à tous les étages

Ce qui frappe d'abord dans la situation de nos jeunes compatriotes, c'est l'incroyable précarité qui s'attache aux premières parties de carrière.

On sait que le marché du travail français est profondément « dual », c'est-à-dire qu'il se divise entre des travailleurs « insiders », bien installés et protégés par un CDI, et des travailleurs « outsiders », aux contrats courts ou précaires, qui sont les premiers à souffrir lorsque l'économie s'enrhume.

Les jeunes sont, exception faite de rares privilégiés évoqués plus haut, l'archétype des outsiders, boucs émissaires systématiques du moindre ralentissement venu. La crise de 2008 l'a confirmé, les jeunes arrivés depuis sur le marché du travail subissent un parcours du combattant pour accéder à un emploi stable et convenablement rémunéré. Le taux de chômage moyen durant les dix années qui suivent l'entrée dans la vie active flirte ainsi avec les 15 %. Par ailleurs la durée moyenne d'accès au CDI s'allonge : en 2011, près de 49 % des 15 à 24 ans actifs étaient en contrat temporaire (CDD, Intérim, emplois aidés ou alternance), contre 9 % des 25 à 49 ans et 5 % des plus de 50 ans [1]. La précarité frappe les jeunes cinq à dix fois plus que leurs aînés !

Les entreprises abusent-elles de cette situation ? Commençons par répondre que la majorité d'entre elles pâtissent des rigidités du marché du travail et du coût excessif de l'embauche de jeunes non qualifiés. Mais certaines ont aussi appris à exploiter les failles du système, souvent au détriment des jeunes.

Une forme injuste mais légale d'exploitation s'est ainsi installée à travers le développement des stagiaires comme nouvelle catégorie de salariat précaire. Une autre variante choquante consiste à abuser du statut des intermittents, régulièrement dénoncé mais toujours maintenu aux frais de la collectivité, qui permet à certaines

1. « Le chômage des jeunes : quel diagnostic ? », *Trésor-Eco*, n° 92, septembre 2011.

sociétés, notamment dans le secteur de la communication, d'employer des armées de jeunes en se contentant d'organiser leur tour de rotation à Pôle Emploi[1]. Seule la CFDT s'était élevée contre ce système que personne n'ose réformer, mais qui creuse les déficits du régime d'intermittence ... que les jeunes paieront.

Le pire, c'est que dans le contexte de verrouillage complet de l'emploi en France, même le stage peu ou pas rémunéré devient un bien rare. Et qui dit bien rare, dit marché. Il existe aujourd'hui des intermédiaires qui se font rémunérer pour «trouver» des stages dans les entreprises. En clair, ils contrôlent certaines filières pour en monnayer l'accès. Et chacun sait que ceux qui aujourd'hui sont le mieux introduits socialement sont aussi ceux qui ont le plus de chances d'obtenir des stages, en France ou à l'étranger, en passant par les réseaux de leurs parents. C'est aussi grâce au soutien de leurs familles que certains peuvent se permettre de partir en stage avec une indemnité si faible qu'elle ne leur permet pas de vivre, a fortiori si le stage est hors de la zone où ils habitent. Il

1. Le rapport Gille-Combrexelle-Archambault sur le régime des intermittents, commandé par Matignon et remis en janvier 2015, pointe des «abus persistants» à travers des «recours abusifs» et une «sous-déclaration» du travail qui considère l'indemnisation du chômage comme un «revenu de complément».

y a quelque chose de poignant à constater que même pour avoir un travail précaire en France au XXIe siècle, les inégalités entre jeunes sont à ce point criantes.

Ces dérives sont pourtant connues. Un rapport du Conseil économique et social de juillet 2005 évaluait à 800 000 le nombre de stagiaires employés par an par les entreprises, dont 60 à 120 000 correspondent en réalité à des emplois à temps plein. Leur rémunération dépasse très rarement le Smic, la gratification minimale des stagiaires au-delà de 2 mois dans une entreprise étant de 508 euros par mois.

Il ne s'agit pas ici de limiter l'accès aux stages qui offrent aux jeunes une transition indispensable entre le monde étudiant et la vie active. On devrait même les encourager en supprimant certaines contraintes bureaucratiques aussi tatillonnes qu'inutiles. Non, ce qu'il faut empêcher, c'est leur utilisation systématique pour exploiter – il n'y a pas d'autre mot – les jeunes et se payer ainsi du personnel à bon marché qu'on garde le plus longtemps possible sous statut précaire en lui faisant miroiter l'inaccessible étoile : l'embauche.

Des tentatives louables ont été faites depuis 2006 pour tenter de juguler ces abus et consolider le statut des stagiaires : encadrement obligatoire dans un cursus de formation, limitation du ratio de stagiaires dans l'effectif global de l'entreprise, registre des stages etc. Mais prendre le mal à la racine supposerait, davantage que de réglementer les stages, de flexibiliser les « vrais » contrats de travail pour faciliter les recrutements !

Les jeunes sont ainsi victimes d'une stratégie des générations successives de salariés – et de leurs représentants syndicaux – qui a consisté à se protéger au détriment des outsiders. Si 70 % des embauches se font aujourd'hui en CDD, c'est que la difficulté à licencier un salarié en CDI est, qu'on le veuille ou non, une incitation à l'embauche en contrat temporaire, voire un obstacle à l'embauche tout court. En cadenassant leur statut, les travailleurs des générations du baby-boom ont involontairement mais pratiquement mis en péril l'accès à l'emploi de leurs enfants.

Le prix Nobel Jean Tirole et Olivier Blanchard, deux économistes de renommée mondiale, ont résumé ce mal français dans un rapport du Conseil d'analyse économique[1] : « La France a à l'heure actuelle un système de protection dual. Les salariés sous CDI bénéficient du système de protection de l'emploi traditionnel. Les salariés

1. Jean Tirole et Olivier Blanchard, « Protection de l'emploi et procédures de licenciement », CAE, 2003.

sous CDD bénéficient d'une protection limitée. Sur la base de l'évolution du marché du travail sur ces vingt dernières années, on peut affirmer que ce système a des effets pervers très forts. Les entreprises engagent mais hésitent à transformer un CDD en CDI, même si le salarié sous CDD se révèle être parfaitement compétent. L'effet de seuil, c'est-à-dire l'augmentation des coûts de la protection de l'emploi lors de la transformation du contrat, est trop fort. »

Le statut infiniment protecteur du CDI joue contre la jeunesse et, d'une manière générale, contre tous ceux qui patientent dans les purgatoires du marché du travail en attente d'un emploi stable et de ce qui va avec (accès au logement, au crédit, etc.). Cette préférence collective pour la défense des acteurs déjà en place vaut pour le salariat, mais aussi pour les indépendants. Les débats chaotiques autour de la loi Macron sont symptomatiques de cette crispation des professionnels en place, face à l'abaissement des barrières à l'entrée des marchés qu'ils se partagent. En luttant contre la liberté d'installation des jeunes diplômés, ces professions revendiquent en outre le droit de continuer de céder à prix d'or leurs charges aux nouveaux entrants, condamnés à s'endetter lourdement pour avoir seulement le droit de travailler.

Et à quoi utilise-t-on l'argent économisé grâce à cette jeune main-d'œuvre à bas prix ? A améliorer les résultats de l'entreprise, certes, et parfois à accroître les dividendes des actionnaires ou à financer des investissements. Mais aussi à consentir des augmentations de salaires pour le reste du personnel de l'entreprise.

Cette pression à la hausse des salaires joue comme une seconde lame au détriment de l'emploi des jeunes. Le niveau et la dynamique du Smic sont ainsi, hélas, un problème pour l'employabilité des juniors. En France, rapporté au salaire médian, le Smic à l'âge de 20 ans est au niveau le plus élevé de l'OCDE, ce qui entretient malheureusement le recours aux stages et autres para-statuts permettant de rémunérer les jeunes en dessous du salaire minimum légal.

4. Jobs, jobs, jobs

L'esprit de la déclaration de Cannes entre employeurs et salariés du G20 de 2011, souligné à l'époque par les voix singulières de Michel Rocard et de la CFDT, devrait nous inspirer aujourd'hui, avec les partenaires sociaux et les pouvoirs publics. Le temps est venu de sortir collectivement des tabous et des postures, pour mieux nous concentrer sur cet unique objectif :

que faire, concrètement et pragmatiquement, pour redonner vite du travail à notre jeunesse ? Jobs, jobs, jobs ... voilà le mot d'ordre.

Commencer par renoncer au tout « traitement social » de l'emploi des jeunes, c'est-à-dire aux mesures palliatives visant à réduire le coût, direct ou indirect, de l'embauche des jeunes salariés, serait un bon début. Depuis des décennies, nous avons empilé les dispositifs spécifiques comme des emplâtres sur une jambe de bois. Près de la moitié d'une classe d'âge dans les cinq ans suivant la sortie du système éducatif, a ainsi affaire à une forme d'emploi aidé. Contrat d'accompagnement-formation, contrat de génération, contrat d'autonomie, contrat d'insertion, emploi d'avenir ou emploi franc ne sont qu'un aperçu des mesures actuellement en vigueur, les oubliettes de l'histoire étant pleines de dispositifs équivalents, abrogés et recréés à l'infini sous d'autres formes. Si les contrats aidés du secteur marchand et les contrats de professionnalisation peuvent trouver grâce aux yeux des économistes, les emplois assistés non marchands sont rarement autre chose que du pur chômage maquillé. Les études montrent en outre que la spirale de ce type de contrats aidés peut vite faire figure de malédiction pour leurs titulaires. Dès le second contrat aidé, c'est un signal d'inemployabilité au-delà des postes précaires que le jeune adresse à ses employeurs potentiels.

Faire que le monde s'adapte à la jeunesse et non l'inverse, suppose un renversement de paradigme de cette politique de l'emploi à laquelle plus personne ne comprend rien.

Cela passe d'abord par l'unification et l'assouplissement du droit du travail pour combattre le dualisme de notre marché de l'emploi et assurer l'insertion plus facile de ceux qui en sont actuellement les outsiders. Un contrat de travail unique à durée indéterminée, avec constitution progressive des droits du salarié en fonction de son ancienneté, est préconisé par Blanchard et Tirole. Sondage après sondage, l'opinion publique française partage cette orientation[1]. Ce type de contrat de travail, quitte pour l'adopter à devoir dénoncer la Convention 158 de l'OIT[2] sur le licenciement, aurait pour vertu de lisser, au bénéfice des jeunes, l'effet de seuil aujourd'hui associé au passage d'un contrat précaire au CDD, sans pour autant dégrader la protection des salariés seniors.

1. Entre autres, sondage CSA pour *Les Echos* de juin 2015, « Les Français largement favorables à un assouplissement du marché du travail ».

2. Cette convention de l'Organisation internationale du travail, signée et ratifiée par la France, fait en principe obstacle au caractère progressif des droits conférés aux salariés en vertu du code du travail.

Le gouvernement a fait un pas significatif en ce sens, en proposant de plafonner les indemnités prud'homales dans le cas des licenciements dans les PME[1]. En instituant un barème progressif en fonction de l'ancienneté du salarié, on entre dans la logique de constitution de droits sur la durée pour les salariés, tout en donnant aux entreprises une visibilité sur le coût potentiel d'un licenciement – et donc sur le risque pris à embaucher.

La politique salariale est, comme on l'a vu, un autre levier qui mérite d'être actionné. Les 4000 euros de prime offerts pour l'embauche d'un premier salarié, annoncés en juin 2015 dans le cadre du « Small business act », n'étant pas ciblés sur les jeunes, ils ne répondront que marginalement à l'objectif de leur accession à l'emploi. Le nœud du problème réside dans le coût relativement trop élevé du premier travail des nombreux jeunes non qualifiés. Il paraît politiquement irréaliste de réduire en valeur le niveau du Smic. Mais y a-t-il nécessairement un tabou quant à la création d'un « salaire débutant » depuis l'échec du CPE[2] ? Une suppression pure et simple des

1. Cette barémisation a été votée en juin 2015 par le Parlement en seconde lecture du projet de loi pour la croissance, l'activité et l'égalité des chances économiques.

2. Le contrat première embauche était un type de contrat à durée indéterminée destiné aux moins de 26 ans, proposé par le gouvernement de Villepin et retiré sous la pression de manifestations étudiantes et syndicales.

100 % des charges sociales restantes au voisinage du Smic (et non un remboursement a posteriori grâce au CICE), y compris pour les particuliers employeurs, ainsi qu'un gel durable du salaire minimum constitueraient à tout le moins un terreau fertile pour l'emploi des jeunes.

Une autre avancée du côté des indépendants devrait permettre d'aller plus loin que la loi Macron : c'est la systématisation de la liberté d'installation, dans l'ensemble des professions réglementées ou restreintes, en laissant au juge le soin de décider si la collectivité doit indemniser la suppression de fait de la rente des professionnels déjà en place. C'est aussi cela faire confiance aux jeunes, qui pour beaucoup choisissent de renoncer au salariat et préfèrent se mettre à leur compte. Certains le font pour créer leur job, faute d'en trouver un. A l'ère numérique, les jeunes sans qualifications mais familiers du web peuvent accéder à quantité de petits emplois de services à la personne ou de commerce en ligne. Cette « débrouille 2.0 » leur permet de travailler, en l'absence de « mini-jobs » dont l'Allemagne ou l'Angleterre regorgent, mais dont le Smic français interdit le développement. De ce point de vue, l'« ubérisation » a du bon.

Un grand nombre sont aussi tentés par une aventure entrepreneuriale. L'âge moyen des entrepreneurs du numérique est ainsi tombé à 34 ans en 2012 selon l'INSEE. Les formations à l'entrepreunariat sont aujourd'hui les plus recherchées dans les grandes écoles de commerce. Cet élan pour entreprendre est une chance qu'il nous faut savoir saisir. Remettre la jeunesse au centre du jeu, c'est favoriser la création et le développement en France de start-up dans tous les domaines, en travaillant notamment sur leur financement et sur la rentabilité de l'investissement. De Taiwan à la Silicon Valley en passant par Israël, tous les pays dynamiques ont ainsi compris l'intérêt qu'il y a à encourager, faciliter, stimuler les jeunes pousses parmi lesquelles se trouvent les Google, Facebook et WhatsApp de demain. Les signaux positifs ne manquent pas : Paris suit les traces de Londres, Berlin et Singapour comme capitale des incubateurs[1]. La « Cité de l'objet connecté » d'Angers témoigne de l'excellence française dans l'Internet des objets qui s'appuie sur nos talents dans le luxe, le design, la mode et... les mathématiques. Mais c'est ensuite que cela coince : beaucoup trop d'entreprises prometteuses ont quitté notre territoire pour des pôles mondiaux d'excellences, leurs jeunes patrons n'ayant pu trouver un « ticket » suffisant de financements au

1. Dont la Halle Feyssinet de Xavier Niel, pour 1 000 sociétés sur 30 000 m², ou la Pépinière 27 de René Silvestre installée dans l'ancien immeuble du journal *L'Etudiant*.

deuxième ou au troisième tour d'investissement ou ne voulant pas être taxés à l'excès. La French Tech est bien inspirée d'aller chercher son modèle outre-Manche. La Banque publique BPI France a raison de jouer son rôle d'investisseur public de référence et de moteur du développement de l'innovation. Mais l'écart d'attractivité, notamment fiscal, demeure et ne nous permet pas encore de disposer d'un écosystème capable de faire s'épanouir le talent de nos jeunes [1]. Dans une France où le rapport à la mondialisation reste problématique, cet état d'esprit finit par peser sur l'optimisme de la jeunesse : si une majorité de jeunes Français voient en la mondialisation une opportunité plutôt qu'une menace, ils ne sont que 52 % dans ce cas, contre 91 % des jeunes Chinois, 81 % des jeunes Indiens ou 76 % des jeunes Suédois [2].

Enfin, laisser une place aux jeunes dans l'entreprise implique d'adapter les méthodes de travail aux aspirations et ambitions de la génération Y : autonomie d'organisation, télétravail, chaînes hiérarchiques plus courtes et informelles, management participatif. Faire que cette

1. « Avec l'ISF (...), la taxation du capital au même niveau que le travail (...) et des règles fiscales de transmission du patrimoine qui favorisent la rente (...), nous avons là un triptyque fiscal qui conduit à dissuader ceux qui innovent », Thierry Breton, PDG d'Atos, dans *Le Figaro* du 7 juin 2015.
2. Fondapol, « Les jeunes du *Monde* », 2011.

génération, qui représente déjà 40 % de la main-d'œuvre potentielle, se sente mieux au travail n'est pas seulement une question de justice ou de confort. C'est reconnaître que les jeunes ont quelque chose à nous apprendre sur la gestion de projet, sur l'intégration efficiente du numérique et des nouvelles technologies ou encore sur l'équilibre entre vie privée et vie professionnelle. Vouloir la mettre au pas, ce serait oublier qu'aujourd'hui, nous avons beaucoup plus besoin de cette génération Y qu'elle n'a besoin de nous.

CHAPITRE 5

Éducation : à l'école du mammouth

Les critiques de l'enseignement scolaire en France sont si récurrentes qu'elles semblent faire partie des figures obligées du débat politique : système trop centré sur le secondaire, rythmes scolaires néfastes, programmes ineptes, obsession de la notation, sélection par l'échec, dégradation du niveau du bac, résultats catastrophiques en langues étrangères, retard dans l'utilisation des nouvelles technologies, délabrement des bâtiments, malaise des enseignants, etc.

Cette école républicaine dont nous étions collectivement si fiers dégringole et place nos enfants en situation de handicap par rapport à la jeunesse des pays voisins. Le classement PISA de l'OCDE nous avait rétrogradé au 15e rang en 2000. En 2012, nous chutions au 25e avant de reculer encore au-delà du 30e en 2015. Quant aux usages pédagogiques s'appuyant sur le numérique, nouvelle donne majeure à l'orée du siècle, la France est reléguée à la 22e place européenne. Parler au printemps 2015 de réforme du collège ou de plan d'urgence numérique n'était donc pas une lubie mais une nécessité. Comment en est-on arrivé à transformer cet objectif souhaitable en un champ de défoulement pour les passions françaises, au risque d'un nouveau blocage dont nos enfants seront les premières victimes ?

1. La malédiction des réformateurs

Le président Georges Pompidou, normalien et ancien enseignant, fustigeait déjà le conservatisme de l'Education nationale il y a plusieurs décennies. La tempête de la réforme du collège en 2015 semble confirmer la pertinence de ce diagnostic, qui fait du Mammouth dénoncé en son temps par Claude Allègre l'adversaire de tous les ministres qui tentent de le transformer.

Beaucoup des novations avancées par Najat Vallaud-Belkacem ne manquent pas de fondements. Favoriser les travaux collectifs au collège est une initiative qui offrira aux élèves un précieux acquis dans leur vie professionnelle et personnelle. L'interdisciplinarité peut agacer certains enseignants mais elle encourage une meilleure utilisation des ressources. L'extension du pouvoir de décision des chefs d'établissement est également une clé essentielle du changement.

Il n'est pas non plus anormal de modifier les rythmes d'apprentissage des langues anciennes. Ce n'est pas le grec ni le latin qu'on assassine pour autant. Quant à réintroduire la chronologie en histoire c'est une nécessité absolue, qu'il convient d'applaudir!

Comment s'explique alors le front du refus qui s'est constitué au printemps 2015 contre la réforme?

Par une série de malentendus et de maladresses, inévitables quand des sujets de cette ampleur ne sont pas préparés avec la minutie d'une campagne militaire. Ils ont été immédiatement exploités par les tenants de ces conservatismes et corporatismes que dénonçait Georges Pompidou. Le réflexe politique consistant pour l'opposition à envenimer les choses a ajouté une couche de blocage supplémentaire. Il est vrai qu'embarrasser le pouvoir en place au sujet de l'école constitue une tentation irrésistible, un grand classique de l'affrontement gauche-droite.

C'est une constante dans l'histoire, les réformateurs doivent éviter de susciter l'alliance sacrée de tous les conservatismes contre eux. Réformer à la fois le collège et les programmes peut sembler rationnel. Mais pour expliquer et convaincre, mieux vaut éviter de tout faire à la fois. Alain Juppé avait subi la même mésaventure en 1995 quand il avait voulu mener simultanément la réforme des retraites et celle des régimes spéciaux.

Pour lancer la réforme il aurait fallu commencer par désamorcer les sujets inutilement conflictuels. Comme réaffirmer le thème de l'Islam dans les programmes d'histoire en ramenant simultanément le thème des Lumières en option. On ne joue pas impunément avec de tels bâtons de dynamite dans la France actuelle. Il n'était pas non plus nécessaire de moucher la susceptibilité d'authentiques intellectuels qui, chacun dans sa discipline, avaient à faire valoir des arguments auxquels il ne fut pas porté assez d'attention.

La contestable suppression des classes bilingues, dans un contexte de dégradation de la valeur des diplômes, a alimenté le soupçon de nivellement par le bas qui exaspère tant de parents et pousse de plus en plus les élèves des milieux aisés vers l'enseignement privé. Si l'on veut aider les enfants à parler les langues, mieux vaudrait leur enseigner l'anglais ou le chinois dès le primaire et subordonner l'apprentissage d'une seconde langue étrangère à une maîtrise correcte de la première et du français. Faute de quoi, ils baragouineront dans trois langues sans en connaître aucune.

Surtout, le débat public a été ravagé par l'intervention de ces précieux ridicules qui constituent le « Conseil supérieur des programmes ».

Ces pachas de la novlangue, ambassadeurs du royaume de Charabia, qu'on imagine couverts de turbans et de médailles chez Molière, Alfred Jarry ou Jérôme Savary, tuent tout ce qu'ils touchent. Leur jargon pédant, qui fait d'un stylo un « outil scripteur » et prétend ne plus apprendre à « nager » mais « à traverser l'eau en équilibre horizontal », suffit à rendre inaudible tout propos sensé qui aurait le malheur d'être dans leur voisinage.

Au total, une querelle qui tourne au gâchis dans une France définie cruellement par Pierre Nora comme « fatiguée d'être elle-même ». Sortons-la de sa torpeur, en prônant une coalition politique entre majorité et opposition pour faire bouger le mammouth, non pas contre les enseignants mais avec eux, non pas dans la suspicion des parents mais en toute transparence sur les enjeux et pour le seul bénéfice de notre jeunesse. C'est à cette condition qu'on pourra démentir la malédiction énoncée par Georges Pompidou quant à la réforme de notre éducation nationale, dont il balayait la perspective de ces trois mots : « C'est inhumain ! »

2. Un coup d'avance

La réforme du collège ne doit pas faire oublier que s'intéresser à l'avenir des jeunes dans une économie mondialisée nécessite aussi de se pré-occuper de ce qui se passe *après* l'école, dans l'enseignement supérieur ou technique, puisque c'est là que s'effectue l'apprentissage d'un métier et se parfait celui de la citoyenneté. C'est dans cette séquence que chaque année près de 150 000 de nos jeunes, soit 20 % de chaque classe d'âge, sont exclus du système sans qualification aucune ; autant dire, jetés à la mer. Sans surprise, parmi ces naufragés on trouve pour l'essentiel des enfants d'inactifs (26 %), d'ouvriers (12 %) mais presque jamais de cadres (1,2 %). Selon l'enquête PISA de 2013, la France est ainsi le pays européen où le déterminisme social pèse le plus sur la performance des élèves.

Pour qui n'a pas été touché par la grâce d'une vocation précoce, peu de choses sont aussi vertigineuses que le choix vers 18 ans d'une formation initiale, a fortiori en France où cette décision prend instantanément le parfum de l'irrévocable. Or de telles vocations, dans les domaines où notre enseignement supérieur inspire encore le respect, ne concernent que quelques dizaines de milliers d'étudiants : médecine, droit, recherche scientifique, beaux-arts... Une seconde frange de la population est aussi à l'abri des problèmes de conscience. Il s'agit des lauréats de la sélection à la française par le biais des prépas et des grandes écoles de gestion, d'ingénieurs, ou de sciences politiques, avec pour certains l'ENA en ligne de mire. Mais qu'en est-il pour les autres, qui sont l'immense majorité ?

Qui n'a pas navigué sur le portail national « Admission Post Bac » par lequel les lycéens se préinscrivent à des études supérieures, n'imagine pas l'ampleur du désastre. Nos jeunes manquent déjà d'information. On sait depuis longtemps que l'Office national d'orientation les désoriente plus qu'il ne les guide. Ils ne disposent ensuite que de très peu de temps pour se décider. Mais surtout le choix qu'on leur propose est inepte : des formations aux intitulés nébuleux que de rares passerelles semblent relier dans le lointain et une offre d'ensemble souvent critiquée pour son incohérence alors qu'elle n'est – hélas – que trop tristement homogène.

Si l'on rebaptisait ces formations, les choses seraient tout de suite plus claires. Une simple numérotation suffirait à les décrire : chômage 1, chômage 2, chômage 3, etc. Car l'offre de cours est en décalage abyssal avec la réalité du marché du travail, c'est-à-dire des savoirs qui permettraient à notre jeunesse de faire briller son envie et ses talents. Pour une seule raison : le système est construit à partir de ce que ses professionnels ont envie d'enseigner, non de ce qui est demandé aux élèves dans le monde d'aujourd'hui et plus encore de demain.

Il n'est donc pas étonnant que si peu de nos jeunes parviennent à s'orienter dans ce marais brumeux, hors les filières d'excellence et les prépas. Peu transparent, notre système éducatif est profondément inégalitaire. Il est de surcroît inefficace. Le taux d'échec à l'université de 46 % en première année suffit à le condamner.

La théorie économique se divise sur le rôle de l'enseignement supérieur. Les libéraux l'approchent par le concept de capital humain, selon lequel on se forme pour améliorer sa productivité, gage d'une plus grande employabilité et d'un meilleur salaire. Il est vrai qu'outre un taux de chômage plus faible, les diplômés du supérieur ont en France un salaire moyen 46 % plus élevé que celui des non-diplômés. Le choix des études résulterait alors d'un arbitrage individuel entre les bénéfices de la formation et son coût. Etudier serait faire le choix de retarder son entrée sur le marché du travail, en renonçant à percevoir un salaire pendant ses études pour être gagnant plus tard.

D'autres économistes privilégient la sociologie avec la théorie du « signal ». Pour eux, les diplômes sont avant tout un parchemin, c'est-à-dire un moyen de signaler aux employeurs potentiels les aptitudes à surmonter un processus de sélection plus ou moins difficile. La formation ne serait alors qu'un signe d'intelligence permettant de décrocher les meilleurs postes et les meilleures rémunérations.

Alors l'enseignement supérieur constitue-t-il une banque de capital humain ou une bibliothèque de parchemins ? A vrai dire, les deux à la fois. Le marché du travail accorde une prime à ceux qui ont fait preuve d'assez de constance et de sérieux pour achever leurs études, mais aussi qui ont su comprendre ce que leurs professeurs attendaient d'eux. Comme plus tard, ils devront comprendre ce qu'attendent d'eux ceux qui les encadreront. Dans un certain nombre de cas, leur excellence dans un domaine leur vaudra une carrière accélérée et des rémunérations en conséquence. Mais ils iront de plus en plus dans des voies professionnelles différentes de ce qu'on leur a enseigné. Les dernières études du Céreq, le Centre d'études et de recherches sur les qualifications, montrent que près de 60 % des jeunes diplômés quittent leur domaine de formation dans les trois ans qui suivent leur sortie du système éducatif. Autrement dit, dans plus d'un cas sur deux, les employeurs utilisent leurs nouveaux salariés pour d'autres tâches que celles auxquelles ils ont été formés.

Cette statistique montre que la formation initiale n'est pas décisive. Ce qui l'est lors de l'embauche, c'est la qualité et la crédibilité des diplômes, de la formation professionnelle, du système d'apprentissage aux yeux des employeurs. Mais ce qui comptera plus encore, rapidement, c'est le rapport au travail de ces jeunes débutants, les valeurs qu'ils véhiculent et leur capacité à s'adapter aux évolutions des techniques et du temps. Enjeu de connaissances, la formation est d'abord un enjeu culturel et de méthode. Il ne s'agit pas tant de préparer les élèves aux métiers d'aujourd'hui ni même à ceux de demain; mais d'inventer la formation de demain qui, elle, préparera aux emplois d'après-demain. Dans un monde en constante évolution, l'important pour la formation des jeunes, c'est d'avoir un coup d'avance.

Dès 1974, André Malraux anticipait le mariage de la télévision et de l'ordinateur pour « changer les conditions de l'enseignement » [1]. Quarante ans après, les MOOCs de la Khan Academy ou de Coorpacademy préfigurent l'avenir.

3. Le piège du déclassement

Tous diplômes confondus, le taux de chômage reste inversement proportionnel au niveau de diplôme. A partir de bac +3, le taux de chômage des jeunes baisse drastiquement par rapport à la

1. Bernard Spitz, « André Malraux, prophète du Net », *Libération*, 2 septembre 2000.

moyenne. D'où la course aux diplômes comme moyen de s'assurer une meilleure place dans la file d'attente pour accéder au marché du travail.

L'élévation du niveau général d'éducation de la population est une conquête du XXe siècle. L'âge médian de fin d'études, de 14 ans en 1900, est ainsi passé à 17 ans en 1947 et 22 ans en 1975 [1]. Mais le corollaire de cet allongement des études a été une dépréciation de la valeur des formations et des diplômes. Le baccalauréat n'a plus la même valeur quand on l'attribue à 80 % d'une classe d'âge.

Ce déclassement des diplômes a pu longtemps rester supportable. Il était le prix à payer pour la diffusion de l'éducation au plus grand nombre, vertueuse pour la croissance économique, la santé et la sécurité. Mais il a aussi des effets dangereux, comme celui d'alimenter un discours défaitiste sur les embûches de l'ascension sociale par la voie scolaire.

Une étude du Céreq montre que la proportion de diplômés employés trois ans après leur sortie de l'Université à un niveau inférieur à celui de leur qualification est passée de 22 % en 1981 à 43 % en 1997 pour les bac +2 et de 36 à 45 % pour les bac +3. Ces taux dépassent 50 % dans certaines des filières de type chômage 1,

1. Source Insee, Enquêtes emploi.

chômage 2, évoquées plus haut, comme l'histoire de l'art ou la sociologie. Le déclassement est particulièrement net dans la fonction publique où 64 % des jeunes recrutés possèdent des diplômes supérieurs à ceux requis par le concours. On peut évidemment considérer que l'allongement de la durée des études est le corollaire naturel d'une technicité croissante des tâches, mais pas au point de recruter des gardiens de la paix au niveau master sans leur attribuer ni responsabilités, ni rémunération en conséquence.

Bref, la génération montante est la malheureuse héritière d'un système où les jeunes ne sont pas ou trop formés pour les emplois qu'ils exercent. Où ceux qui n'ont pas de diplôme (quel qu'il soit) sont considérés comme inemployables. Où beaucoup de diplômés n'ont aucune chance de déboucher sur un emploi. Enfin où beaucoup d'emplois ne trouvent pas preneurs, faute de formation adaptée et de candidats, en raison d'une perception noire de l'enseignement professionnel dans notre pays. Inutile de dire qu'il est grand temps de tout changer. Le moment est venu de mettre en œuvre un nouveau contrat éducatif, allant de l'enfance à l'enseignement supérieur.

CHAPITRE 6

Le nouveau contrat éducatif

Pour ne pas s'exposer à la coalition des conservatismes, ni se réfugier dans le confort du statu quo, il importe que les candidats avancent leurs propositions sur l'éducation lors de l'élection présidentielle prochaine. En s'engageant ainsi publiquement ils recueilleront du suffrage universel la légitimité qui leur permettra d'agir. Voici de quoi les inspirer.

1. Pour réhabiliter l'enseignement professionnel

La sacralisation de l'enseignement général au détriment de l'enseignement professionnel, un choix qui se fait en classe de seconde, nous coûte cher. Il prive surtout nos jeunes de formations qui leur assureraient une meilleure insertion dans le monde du travail. Pour ceux qui obtiennent leur diplôme, le taux d'insertion professionnelle est en effet de l'ordre de 75%

en fin de contrat d'apprentissage et un peu en dessous de 70 % post-bac professionnel. Ceux qui tiennent les trois ans s'en sortent donc sur le marché du travail avec une prime quand le diplôme est obtenu en apprentissage.

Notre problème majeur, c'est que l'orientation vers l'enseignement professionnel se fait en France par défaut. La voie professionnelle est perçue chez nous comme la voie de l'échec. En masse, elle représente environ 40 % d'une classe d'âge (dont 20 % en lycée professionnel et 20 % en apprentissage), soit bien moins que les 60 % de pays comme l'Allemagne, l'Autriche ou la Suisse[1]...

Dans ces pays, on valorise ces métiers et ces parcours. Ceux qui sont en formation professionnelle initiale sont en apprentissage avec un contrat de travail. Les taux d'insertion y sont bons, les salaires très corrects et ceux qui vont jusqu'au bout de leur formation s'en sortent bien. Mais en France, parce que le choix de cette voie se fait par défaut, beaucoup de jeunes décrochent avant la fin. Ces jeunes-là représentent une part importante des 20 % d'une classe d'âge qui se retrouvent hors du système éducatif sans qualification.

1. Le tout avec un niveau de compétence générale supérieur en Allemagne pour les jeunes de 15 ans selon les dernières enquêtes PISA.

Trop d'acteurs aux intérêts divergents, l'instabilité de politiques coupant les aides aux entreprises en 2012 pour les rétablir en 2013, un retard dans l'adaptation aux technologies numériques, les oppositions entre enseignement professionnel scolaire et formations en alternance d'une part, régions et patronat d'autre part : voilà ce qui fait de l'apprentissage un navrant résumé du mal français. Quand François Hollande promettait en 2012 100 000 apprentis de plus, on en avait 50 000 de moins en 2015.

Pour changer la donne, la solution consisterait à mieux ajuster l'offre de formation à l'orientation. En France, les ouvertures des contrats de formation en alternance sont sous la responsabilité des régions, mais les ouvertures de lycées professionnels sous celle de l'Education nationale. En conséquence, c'est la démographie des professeurs qui gouverne l'offre et non les besoins des entreprises. Dans l'enseignement professionnel, il faudrait faire le contraire, c'est-à-dire donner aux entreprises, via les structures paritaires, le dernier mot sur les ouvertures et les fermetures de classes au niveau régional, comme cela fonctionne en Allemagne. D'autres pistes existent[1] : développer une filière de

1. Cf. rapport de l'Institut Montaigne et de l'Asmet – ETI sous la direction de Bernard Martinot.

préapprentissage au collège, confier aux régions le soin de piloter les formations professionnelles initiales, développer la transmission des savoirs dans certains métiers artisanaux entre retraités et apprentis.

Si l'on veut obtenir les mêmes résultats que les Allemands, commençons par nous inspirer de leur méthode. Préférons le pragmatisme au dogme. C'est le sens de la proposition des « europatriés » de Peter Harz, lumineusement exposée par François Villeroy de Galhau dans son livre *L'Espérance d'un Européen*[1] et relayée par l'Institut de Jacques Delors sous le nom de « Programme Erasmus Pro[2] » : le jeune Européen qui accepterait une formation professionnelle dans un autre pays de l'Union que le sien aurait droit à un titre d'une valeur de 50 000 euros, financé par un fonds émetteur. Un plan financièrement à la portée de l'Europe et surtout l'occasion de marquer une priorité ouvrant une réelle espérance à sa jeunesse.

1. Editions Odile Jacob, 2015. Le plan coûterait 50 Mds € de préfinancement sur fonds publics mutualisés entre tous les pays de l'Union, par tranche de 1 million d'apprentis. Peter Harz propose de loger ce fonds à la Banque européenne d'investissement.

2. Note « Notre Europe » du 12 mai 2015 et tribune du *Monde* en date du 14 mai 2015.

2. Pour une sélection raisonnée

Notre université est malade d'un système égalitaire en façade mais profondément inégalitaire dans ses résultats.

Sélection : le mot tabou est lâché et assumé. Pourquoi ? Parce qu'il est d'une hypocrisie absolue de réfuter la sélection à l'entrée à l'université quand l'opinion l'accepte partout ailleurs. N'y a-t-il pas sélection pour entrer dans les centres de formation des clubs de football professionnel ? Ou pour jouer du piano dans un orchestre ? Ou pour être pilote de chasse, cinéaste, astronaute, champion de Formule 1, chef étoilé, pop star... bref toutes ces choses qui ont illuminé les rêves de tous les enfants du monde ?

Cette sélectivité existe dans notre enseignement supérieur, soit ouvertement, soit de façon détournée. La sélection « légale » est d'abord organisée par type de formation : dans les classes prépa et les grandes écoles bien sûr, mais aussi dans les IUT et BTS qui ont le droit de choisir leurs élèves [1]. Elle apparaît également dès les premiers cycles universitaires, dans un pied de nez du monde réel à l'égalitarisme de façade. En témoignent le développement des doubles-

1. Une liberté qui reste un combat, comme l'illustre l'introduction de quotas pour les bacheliers professionnels, qui a entraîné une baisse de niveau des BTS.

licences, des « écoles » de droit ou de journalisme, ou la tentative des universités de se faire reconnaître comme « grand établissement » ; autant de moyens de récréer sans le dire des filières sélectives.

Sélectionner donc, mais sans intention de restreindre l'accès de l'excellence à une toute petite élite. La France a besoin de plus de diplômés très qualifiés et, parmi eux, du plus grand nombre de futurs entrepreneurs. Or nos « grandes écoles », grandes par leur qualité, sont minuscules en taille. Comme le dit Tidjane Thiam[1], « Oxford et Cambridge, c'est 6 000 personnes par an qui étudient trois ans avant d'arriver sur le marché de l'emploi à 21 ou 22 ans avec un infini respect pour le travail. Quand en France, les plus grandes écoles – X, HEC, ENA – c'est un millier de personnes. On s'échine à sélectionner un millier de personnes ! Dans une économie du G7 ! Ce que les gens ne comprennent pas dans toutes les approches élitistes du monde, c'est qu'il n'y a pas de plus grande intelligence que l'intelligence collective ».

Développons, à partir d'expérimentations réussies[2], une sélection pertinente qui ne freinerait plus l'accès des jeunes issus de la diversité,

1. Interview dans *Le Point*, 19 décembre 2013.
2. Notamment à l'Institut d'études politiques de Paris, sous l'impulsion de Richard Descoings.

en tenant compte désormais de dossiers valorisant leur expérience et leur parcours à l'extérieur du cadre scolaire. Le sport, les arts plastiques, la musique, le théâtre, la communication, la vie associative... sont autant de domaines qui exigent la constance, l'effort, l'ouverture sur les autres, le courage, le sens de la performance, et qui font partie depuis longtemps des critères d'admission dans les universités anglo-saxonnes. Veillons aussi à faire reculer l'échec à l'université en assurant une homogénéité des classes d'élèves non pas en termes d'origine sociale, mais de capacité à réussir, afin de permettre une véritable transmission de capital humain.

Et rompons avec la vraie sélection à la française, celle par l'échec. Tous les jeunes égarés dans des filières sans avenir, condamnés pour la moitié d'entre eux à repasser une première année dont certains ne sauront jamais pourquoi ils l'ont choisie, si ce n'est pour pouvoir bénéficier des aides publiques allouées aux étudiants, ont le droit d'être en colère. Ceux qui échappent à cette impasse, par exemple en allant à l'étranger, sont la minorité qui savent que c'est possible et que la famille aide souvent à y parvenir.

Cette sélection à l'université devrait avoir deux filtres : un premier pour l'accès en première année et un second à l'entrée en master, plutôt qu'au *milieu* du master, c'est-à-dire à l'entrée en M2 comme cela est pratiqué de façon aberrante aujourd'hui. Elle devrait s'exercer à l'appui de critères transparents, sans la tyrannie d'un numerus clausus souvent contestable quand il n'est pas catastrophique. Sa logique ne saurait être de créer des quotas en fonction d'une évaluation bureaucratique des besoins du marché du travail, qui sera le plus souvent démentie par les faits. Son but doit être de s'assurer qu'un élève qui choisit une formation a été informé à son sujet et qu'il a des chances raisonnables d'y réussir.

3. Pour un contrat avec les entreprises

Le décalage existant entre les formations acquises par les étudiants au sortir du système éducatif et les besoins réels sur le marché du travail coûte à notre jeunesse des centaines de milliers d'emplois et à notre pays un handicap significatif de croissance. Y remédier est possible, à condition de donner au monde de l'entreprise une place d'acteur à part entière, c'est-à-dire en tenant compte de ses besoins et en développant toutes les formes possibles de collaboration.

Cette implication des entreprises constitue une évidence en matière de formation professionnelle. Le rapprochement de l'école et de l'entreprise, et le développement de l'alternance comme filière d'excellence, sont d'ailleurs les premiers axes de travail du rapport de Gérard Mestrallet sur l'emploi [1]. Notre intérêt serait que ce rapprochement s'opère selon les quatre orientations suivantes.

Première orientation : rompre avec la tradition française où l'on fait ses études pour la vie entière. Autrement dit, freiner le recours compulsif à la formation initiale théorique, au profit de la formation professionnelle continue et de la reprise d'études en cours de carrière. Tout l'enjeu de la réforme en cours de la formation professionnelle est de changer les mentalités à cet égard, pour relâcher la pression qui s'exerce sur les jeunes quand ils doivent choisir au début leur parcours de formation. Cela dédramatiserait aussi le choix d'études courtes et techniques. Quand on sait que l'on peut reprendre des études, on peut éviter de s'épuiser à passer un master d'économie appliquée pour faire plaisir à ses parents, avant de revenir à sa vocation d'instituteur ou d'ébéniste. Il faudrait donc inciter les universités à développer une véritable offre de formation continue ainsi que

1. Gérard Mestrallet, « Mobiliser les acteurs économiques en faveur de l'emploi et de l'emploi des jeunes », Fondation Agir contre l'Exclusion, avril 2014.

des synergies entre les générations d'apprentis. Plus de formation continue facilitera de surcroît le renouvellement des compétences, à l'heure où les évolutions techniques rendent caduques en quelques années la plupart des formations universitaires.

Dans ce cadre, pourquoi ne pas faire davantage confiance aux entreprises pour s'organiser et former des salariés qui correspondent à leurs besoins, en assurant la prise en charge de ce coût de formation par un crédit d'impôt sur les sociétés ? Leurs besoins étant mal connus et peu écoutés, les entreprises créeraient ainsi leur propres structures de formation, soit à vocation interne, soit pour répondre aux besoins du marché, comme l'école 42 de Xavier Niel ou l'école LDLC de Laurent de la Clergerie[1]. On pourrait même faire d'une pierre deux coups en professionnalisant la formation professionnelle en France, actuellement contestable dans l'utilisation des moyens qui lui sont accordés comme dans ses résultats.

Deuxièmement, il convient de s'assurer que les structures d'enseignement apportent aux

1. L'école 42, créée en 2013 à Paris et LDLC créée en région lyonnaise en 2015 sont des établissements privés, sans soutien financier de l'Etat et sans capacité d'obtention de bourse pour les étudiants.

étudiants ce qu'ils en attendent. Cela signifie davantage de transparence, tant sur les débouchés professionnels qu'offrent les formations que sur leurs résultats, en termes d'apprentissage des connaissances et des compétences. Pour cela, la révolution copernicienne consisterait à réguler l'offre universitaire en fonction des besoins réels de l'économie et donc des entreprises. Nous en sommes loin, tant pour des raisons de principe qu'à cause de notre désorganisation. La laborieuse publication des taux d'insertion de chaque filière dès l'admission post-bac pourrait pourtant éclairer utilement les choix des élèves. Au-delà, nous manquons d'une étude régulière sur les besoins de compétences et les conséquences à en tirer, ce type d'analyse restant déconnecté des choix de filières ouvertes ou non par les universités [1]. Il serait pourtant logique de lier le financement des établissements aux taux d'insertion professionnelle, ou de décider qu'en dessous d'un certain taux, une filière devrait être fermée.

Troisième orientation, comme dans les entreprises, évaluer les résultats et notamment prendre

1. France Stratégie fait tous les 5 ans l'exercice PMQ (Prospective des métiers et des qualifications) qui n'apporte rien d'opérationnel et n'a aucun impact sur les choix des universités qui sont autonomes. Il y a bien des travaux existants au niveau des Observatoires de branche mais ils manquent cruellement de lisibilité globale.

en compte les progrès réalisés par les élèves en cours de formation. Le Brésil a par exemple mis en place avec succès un test national mesurant les connaissances en début et fin de parcours universitaire. Ce dispositif a créé une saine émulation entre des établissements recentrés sur le contenu et la pédagogie. L'OCDE se propose de transposer à l'enseignement supérieur son système PISA, servant à l'évaluation des élèves dans l'enseignement scolaire. Embrassons cette démarche, portons ce projet et mettons-le en œuvre en France.

La quatrième orientation consiste à élargir la formation de nos élites. Et pour cela à rendre les plus fluides possibles les relations entre le monde de l'entreprise et celui de l'enseignement supérieur, dont les établissements seront eux-mêmes de plus en plus gérés comme des entreprises : soucieux de leurs finances, de l'avenir de leurs élèves, des conditions de travail de leurs enseignants et de la réputation de leurs diplômes…

4. Pour une élite élargie

Afin d'assurer la généralisation d'un enseignement supérieur de qualité, il faut donner plus de moyens aux universités et, on l'a vu plus haut, élargir l'accès aux grandes écoles. Les premières font toujours peine à voir, malgré les efforts consentis ces dernières années tant en dotations budgétaires qu'en autonomie des établissements, faute de moyens dès lors qu'on s'interdit de passer un partenariat actif avec la sphère privée. Pour s'en rendre compte, il suffit d'entrer à Villetaneuse, Nanterre ou Tolbiac à l'heure des cours. Amphis bondés, avec des conditions d'écoute ou de visibilité réduites, passé la limite des premiers rangs. Trop rares salles de travail. Environnement dégradé. Documentation médiocre, laboratoires de langues poussifs, instruments de communication audiovisuelle inaccessibles ou hors de fonctionnement. Et, bien sûr, infrastructures d'accueil minimales ou inexistantes, notamment pour les logements.

Tout cela ne peut se comparer ni à l'univers anglo-saxon, ni même à ce que l'on trouve à quelques kilomètres de là, à Palaiseau sur le campus de l'Ecole polytechnique. Là, les bâtiments sont modernes et bien entretenus. Le matériel de pointe, le libre accès aux salles, l'environnement naturel, les logements pour étudiants, les installations sportives assurent les meilleures conditions de travail. Et pour cause : l'Etat dépense chaque année en moyenne 21 000 euros par étudiant de grande école contre 8 000 euros dans les universités. Et ces catégories cachent elles-mêmes des écarts de moyens colossaux. Alors que le budget de fonctionnement par étudiant de l'Ecole des mines de Paris excède les 50 000 euros par élève, l'Université de Provence fonctionne par exemple avec 4 500 euros par étudiant. La différence d'encadrement pédagogique est, elle aussi, spectaculaire : 7 enseignants pour 100 étudiants à Paris XI, contre 25 à Polytechnique.

L'Etat n'a pas les moyens, soit. Alors qu'il accepte d'augmenter les frais de scolarité, qu'il laisse les entreprises financer les établissements dans des conditions fiscales privilégiées et qu'il veille à mettre en place un système de bourses comme cela existe dans d'autres pays bien moins inégalitaires que nous dans les faits.

Au Royaume-Uni, où les frais d'inscription à l'université sont de 12 000 euros, un organisme public de prêt finance l'étudiant qui ne commencera à rembourser que lorsque son salaire aura atteint 28 000 euros annuels avec un plafond de 9 % de ses revenus. Certes, les Britanniques sortent excessivement endettés de ce système à la fin de leurs études, à hauteur de 59 000 euros en moyenne. Mais c'est une dette que les trois quarts d'entre eux, les moins chanceux, n'acquittent pas dans son intégralité. Entre-temps, ce financement a permis aux universités de rester indépendantes et de disposer des ressources nécessaires, au point que le système a été publiquement défendu dans le *Times* par une vingtaine de présidents d'universités en février 2015.

En France, nous perdons sur tous les tableaux. Par manque de moyens, nous ne parvenons pas à mettre en place une formation universitaire qui garantisse au plus grand nombre la transmission optimale des savoirs. A l'inverse, le numerus clausus dans les grandes écoles étouffe notre potentiel de formation, alors que le pays manque d'ingénieurs, de gestionnaires, de commerciaux, d'entrepreneurs, de chercheurs.

D'autant que le nanisme est contagieux. La limitation par le nombre conduit à une limitation de l'ambition. Les grands pôles de formation européens de demain seront ceux qui disposeront des moyens de recherche les plus performants, de la capacité d'attirer les enseignants les plus reconnus, d'accueillir des étudiants du monde entier et de développer des spécialisations de pointe. Tout cela n'est possible qu'en visant le seuil critique de pôles d'excellence comme les meilleures universités américaines. Or nos établissements en seront de plus en plus loin, à l'avenir, si rien ne change. Harvard compte près de 20 000 étudiants. Le MIT, qui est installé en face, plus de 10 000. Sur la côte Ouest, UCLA a 32 000 étudiants et Stanford la moitié. A New York, NYU en compte 20 000 et

Columbia 24 000. A côté de cela, que pèsent l'X ou l'Ecole normale supérieure[1] ?

Rien qu'à Montréal, ce sont 14 000 étudiants français qui sont venus trouver refuge. A Concordia, à McGill, à HEC Montréal, à l'Université de Québec, ils disposent d'amphis ultramodernes, de laboratoires digitaux et de centres de documentation ouverts à toute heure. Ils ont accès à des cours adaptés aux besoins du XXIe siècle dans tous les domaines des sciences, de la médecine, du management, de la communication numérique ou des arts. Et ils baignent dans une population étudiante venue du monde entier qui leur donne accès à l'acquis le plus important : la conscience d'être un jeune Français et un citoyen du monde.

Le manque relatif de vocation des étrangers à venir étudier en France, malgré les atouts inouïs de notre pays, est un signal d'alarme qu'il nous faut entendre. Il y a urgence. Il faut ainsi mettre fin à la fuite des étudiants étrangers formés aux frais du contribuable français, qui nous quittent à la fin de leur cursus parce que ces pays ont une législation plus favorable que la nôtre. Pour tous ces jeunes diplômés, l'obtention automatique d'une carte de séjour « talents et compétences »,

1. C'est le point de départ des propositions de Bernard Attali dans son rapport 2014 au ministre de la Défense pour la réforme de l'X.

d'une durée portée à dix ans, leur permettrait de résider, travailler, employer et créer de la richesse en France.

La reconquête de notre attractivité éducative est entre nos mains. Elle passe par un nouveau contrat entre le monde de l'entreprise et celui de l'enseignement. Elle exige aussi de nous le respect de l'autonomie des universités, l'acceptation de la concurrence et la reconnaissance des quelques principes simples d'ordre culturel et de méthode indiqués précédemment. C'est nécessaire et c'est possible.

CHAPITRE 7

Le casse du siècle

On a vu comment les jeunes ont été les grandes victimes de choix collectifs qui se sont faits dans et sur leur dos pendant des décennies.

Ce véritable hold-up entre générations laisse aujourd'hui un trou abyssal dans les caisses publiques : 2 000 milliards d'euros de dette souveraine, soit 95 % du PIB, 146 millions d'années de Smic ou encore le coût de 600 porte-avions. Comme évoqué dans la préface, chaque bambin qui naît aujourd'hui en France porte déjà sur sa tête une part de dette nationale de plus de 30 000 euros. Sans compter qu'à ces chiffres s'ajoutent de gigantesques engagements « hors bilan » de l'Etat, telles les retraites des fonctionnaires.

A titre de comparaison, la dette publique pesait 20 % du PIB en 1980. Elle n'était que de 1 000 milliards en 2003. Comment en est-on arrivé là ? En dépensant chaque année, depuis près de 40 ans, plus que les recettes de l'Etat ne l'autorisaient.

Ce passif colossal s'est construit avec une dose d'inconscience – du temps où une inflation encore galopante venait rapidement raboter le coût de la dette – et sans aucune mauvaise conscience. Les générations successives ont réclamé et obtenu un financement public à crédit. Quand Michel Rocard, Premier ministre, a refusé d'exonérer les retraites de CSG au début des années 90, le lobby des retraités s'est vengé aux élections européennes suivantes, alors qu'il s'agissait d'une mesure de justice intergénérationnelle. Message reçu ! Ses successeurs n'auront plus ce courage.

Mais si le montant de la dette publique est à lui seul un outrage, l'analyse qualitative de cet endettement révèle l'étendue du désastre. En effet, non seulement cette dette apparaît comme de la « mauvaise » dette, mais elle risque à tout moment de déraper et de nous mener droit à la faillite. Ecarter cette épée de Damoclès, en préservant autant que possible le pouvoir d'achat des jeunes, doit donc devenir une priorité absolue.

1. Papy Ponzi, Mamie Madoff

Avec des dépenses publiques représentant 56,6 % du PIB – 12 points de plus que l'Allemagne –, les administrations françaises ont tout du Léviathan. Qu'un Etat aussi dépensier produise si peu de croissance et tant de chômage signifie trois choses. D'abord que notre Etat a été mauvais gestionnaire de l'argent public ; ensuite, que les périodes de forte croissance et les taux d'intérêt bas n'ont pas servi à réduire la dette ; enfin, que les caisses ont été vidées sans que les jeunes en profitent, puisque les déficits n'ont ni financé la recherche ou l'enseignement supérieur, ni constitué des réserves pour les retraites.

Dans la théorie économique, l'endettement d'un Etat se justifie s'il sert à financer les dépenses d'avenir et les investissements publics au sens large, de même qu'une entreprise finance ses investissements par l'emprunt. Mais ce n'est pas ce que nous avons fait depuis quatre décennies, au contraire. Entre 1996 et 2006 par exemple, 80 % des hausses de dépenses publiques sont venues de l'augmentation des budgets de transferts et de fonctionnement. Les effectifs ont gonflé de 400 000 agents en trente ans (soit 35 % de hausse entre 1980 et 2010), malgré un contexte de réduction des missions de l'Etat et alors que l'effort en recherche et éducation stagnait. Quant aux 47 Mds d'euros des Investissements d'avenir, qui regroupent les 35 Mds du « grand emprunt » de 2010 et une seconde tranche de 12 Mds levée en 2013, ils font sourire (jaune) lorsqu'on les rapporte au volume total d'endettement public. Ils représentent à peine 2 % de notre facture collective. Difficile d'y voir une planche de salut pour nos enfants. Comme le concluait le rapport Pébereau sur la dette de 2005 : « L'augmentation de la dette a été utilisée pour financer les dépenses courantes de l'Etat et pour reporter sur les générations futures une part croissante de nos propres dépenses de santé et d'indemnisation du chômage, alors que ceci devrait être exclu par principe. »

S'il n'y a pas d'économie du père Noël où l'argent tombe du ciel pour apurer miraculeusement les déficits en dépit des promesses électorales, il y a en revanche un effet boule de neige de l'endettement public. Dès que les taux d'intérêt réels sont supérieurs au taux de croissance, cela entraîne un accroissement constant des frais financiers. Celui-ci alimente en retour une augmentation du déficit public et de la dette de l'année suivante, jusqu'à l'emballement. Or en 2006, pour la première fois, la totalité de l'impôt sur le revenu n'a servi qu'à rembourser les intérêts de la dette publique. Il ne restait plus un euro pour préparer l'avenir.

Depuis, nous frôlons tous les ans la catastrophe, sous le poids d'une charge de la dette qui plombe littéralement le budget de l'Etat : 42 Mds d'euros en 2005, 55 Mds en 2012. Un petit miracle est intervenu sous forme d'une diminution des taux d'intérêt qui a ramené la facture française à 46,3 Mds en 2014 avec une prévision semblable pour 2015. Prolongée par la politique de soutien de la Banque centrale européenne, cette embellie provisoire replace la charge de la dette derrière le budget de l'enseignement scolaire au classement des postes de la dépense publique. Mais elle est à double tranchant. En soulageant provisoirement le budget de l'Etat, elle lui permet dans le même temps de reporter les réformes structurelles qui, seules, nous permettraient de redresser la situation. L'épée de Damoclès reste donc au-dessus de nos têtes. C'est en milliards supplémentaires que viendrait s'accroître la facture pour les Français si les taux d'intérêt augmentaient d'un unique point sur une seule année[1].

Sans que les situations soient totalement comparables, on rappellera qu'un scénario dans lequel le paiement des intérêts n'est possible que par le recours à de nouvelles souscriptions est plus connu sous le nom de pyramide de

1. Selon la Banque de France, une hausse d'un point sur l'ensemble des maturités de la dette française coûterait 40 Mds d'euros aux finances publiques, en cumulé à l'horizon 2020.

Ponzi, type d'escroquerie pour laquelle Bernard Madoff a été condamné à 150 ans de prison aux Etats-Unis en 2009 !

La situation est donc extrêmement préoccupante. Les jeunes qui entrent aujourd'hui sur le marché du travail devront régler les charges de la dette, payer les salaires des fonctionnaires engagés avant eux et les retraites de leurs parents. Mais les caisses seront vides pour financer les dépenses d'investissement et préparer l'avenir de leurs propres enfants : c'est cela le casse du siècle !

Les économistes s'accordent d'ailleurs sur le fait que, passé un certain niveau, la dette pèse sur la croissance. En réduisant les marges de manœuvre budgétaires, en imposant une fiscalité élevée sur les ménages et sur les entreprises, elle entrave les capacités à construire aujourd'hui l'économie de demain. Face à la concurrence mondiale, que vaudra un pays qui, à force d'inefficience, aura vu sièges sociaux et forces vives fuir à l'étranger où l'herbe sera plus verte et les charges moins lourdes ? Ainsi que l'écrit l'économiste Xavier Timbaud : « Nous ne léguons pas seulement une dette que devront acquitter les générations futures, nous leur léguons un état de l'économie[1]. »

---

1. In « Solidarité intergénérationnelle et dette publique », *Revue de l'OFCE*, 2011.

En mai 2015, le gouverneur de la Banque de France lui-même résumait ainsi la situation : « A cause de notre choix d'un Etat toujours plus lourd, plus dépensier, nous laissons à nos enfants, qui prendront leur retraite à 65 ou 67 ans, un pays endetté, un niveau de chômage insupportable et un potentiel de croissance plus faible que jamais. »

2. *Le plus dur, c'est le retour*

Sortir de cette situation n'est pas une mince affaire. Car si l'endettement a pu s'effectuer au détriment de la jeunesse, le rétablissement de l'équilibre des finances publiques pourrait se faire également à ses dépens.

Ne serait-ce que stabiliser la dette publique [1] demanderait déjà un effort considérable. Pour y parvenir en 2015, il aurait fallu par exemple ramener le déficit public sous la barre des 2 % du PIB, loin de l'objectif de déficit budgétaire fixé à 3,8 % par le gouvernement.

Reste à trouver les moyens d'un retour progressif à l'équilibre en évitant d'étouffer la croissance et l'emploi et donc les jeunes.

1. C'est-à-dire revenir à un niveau de déficit où le ratio dette/PIB cesse d'augmenter (autrement dit, le déficit qui permet que la dette n'augmente pas plus vite que le PIB).

Sans recourir à la « comptabilité générationnelle » développée par quelques économistes pour évaluer le niveau de contribution de chaque génération à l'effort financier collectif, les économies requises devraient sanctuariser les dépenses bénéficiant d'abord aux jeunes, sans s'interdire pour autant de les rénover dans leur fonctionnement. C'est le cas pour l'éducation et l'enseignement supérieur, les investissements publics, les transferts vers les familles et les étudiants. En revanche, les économies sur les collectivités locales comme sur la gestion de l'Etat et ses dépenses de protection sociale devraient être prioritaires pour redresser les soldes publics, comme on le verra au chapitre suivant.

Il doit en aller de même sur le plan fiscal, tous les impôts n'ayant pas le même impact sur les différentes classes d'âges. Pour faire contribuer les générations les plus installées et les mieux dotées, il serait juste de faire porter une part de la charge sur le patrimoine, en particulier sur l'immobilier. En effet, ce dernier se caractérise encore par un transfert de richesse massif des jeunes générations vers des propriétaires âgés. A l'inverse, les revenus d'activité doivent être préservés, le travail étant souvent la seule richesse des jeunes. De même les revenus mobiliers ne devraient être mis à contribution qu'avec la plus grande prudence, sauf à renouveler l'épisode des « Pigeons » de 2013[1].

A l'inverse, il faut préserver les entreprises dont les marges financières doivent servir prioritairement à l'investissement et à l'embauche de jeunes actifs, ainsi que l'Etat semble y être désormais résolu. C'est sur cette base seulement qu'un désendettement au long cours pourra s'amorcer, après quarante années de renoncements et de lâchetés.

1. Le gouvernement voulait alors renforcer la fiscalité sur les plus-values mobilières applicables à la revente d'entreprises, dont les start-up, et avait fait machine arrière face à la révolte des jeunes entrepreneurs.

CHAPITRE 8

L'insécurité sociale

Les jeunes sont exposés comme tous les Français au risque sanitaire. S'ajoutent pour eux les carences d'un système de couverture défaillant, le manque de moyens budgétaires alloués à la prévention et les conséquences d'une fuite en avant financière. A l'évidence, une question s'impose : comment des retraités plus nombreux, vivant plus longtemps, avec des coûts de santé croissants, pourraient-ils continuer à être financés de façon équitable pour les nouvelles générations dans un système de pure répartition, avec une population active en diminution, supportant les charges les plus élevées d'Europe et un chômage massif ?

1. La santé à crédit

Certes, des moyens considérables sont alloués à la santé des Francais. Nos dépenses totales représentaient 235 Mds d'euros en 2012 soit

11,6 % du PIB, plaçant la France en 3e position derrière les Etats-Unis et les Pays-Bas. La prise en charge en est essentiellement publique, avec 75 % des dépenses de santé financés par la collectivité nationale[1] contre 72 % dans l'OCDE.

Mais outre que la performance de notre système sanitaire est en net recul[2], passant de la première place en Europe en 2006 à la 9e aujourd'hui, sa couverture est de plus en plus financée à crédit ! On fait supporter le poids des déficits et de la dette sociale aux générations futures, non parce qu'on a choisi d'investir dans le système de santé pour le moderniser et le transformer, mais uniquement pour apurer nos passifs.

Année après année, rien n'y fait. Le dernier excédent de la Caisse nationale d'assurance

1. La part des organismes complémentaires s'établit a plus de 14 %.

2. En 2012, le Haut Conseil de la santé publique estimait nos performances « moyennes » par rapport au reste de l'Union européenne. Constat similaire si l'on prend en compte l'indice EHCI 2014 (8e étude réalisée sur les systèmes de soins de santé dans 36 pays européens). La France était première en 2006 pour la qualité des soins. Aujourd'hui elle n'est plus qu'à la 9e place, derrière l'Allemagne, 7e. Selon l'OCDE, parmi 30 pays développés étudiés, la France présente de mauvais résultats sur la mortalité infantile (14e), la mortalité prématurée (18e), la mortalité pour causes cardiovasculaires et pour divers facteurs de risque dont l'obésité. Beaucoup de ces carences renvoient directement à l'insuffisance de la prévention.

maladie des travailleurs salariés, la CNAMTS, remonte à 1988. Depuis 1995, ses déficits sont chroniques, quel que soit le gouvernement : 11 Mds d'euros en 2003, 11,6 Mds en 2004, plus de 8 Mds en 2005. On évolue désormais autour de ce palier : 6,8 Mds en 2013, 6,5 Mds en 2014, 7,2 Mds en 2015. S'y ajoute le reste à charge individuel, c'est-à-dire ce que les Français payent sans remboursement, qui pourrait augmenter très fortement à partir de 2017, suite aux nouvelles règles introduites en 2015 pour contrôler administrativement et fiscalement les prestations offertes par les complémentaires, écartant beaucoup de jeunes de l'accès aux soins. Quant au reste à charge collectif, qui s'appelle déficit, il ne cesse de se cumuler chaque année. La fuite en avant continue…

Plus inquiétant encore, selon le Haut conseil pour l'avenir de l'assurance maladie (HCAAM), le déficit annuel de l'assurance maladie devrait atteindre 14 Mds d'euros en 2020. Il grandira encore pour atteindre 41 Mds d'ici 2040 et 50 Mds en 2060, quand les nouveau-nés d'aujourd'hui auront 45 ans et seront donc ponctionnés pour colmater les brèches, si l'on ne règle pas le problème avant.

Ce système génère naturellement une « dette sociale » qui s'accumule au sein de la

Caisse d'amortissement de la dette sociale (CADES) et sera à la charge des jeunes générations. Remboursable sur 15 ans initialement, son échéance a été étendue à 30 ans. Au 31 décembre 2014, il restait 132 Mds de dette à amortir, dont près de 90 Mds de la seule branche maladie. Les gouvernements successifs s'en sont alors tirés par un allongement de la durée qui transfère la dette aux générations futures. Comme l'écrivait déjà le Haut Conseil dans son rapport de 2004 : « Pendant vingt ans, les jeunes qui démarrent aujourd'hui leur vie active verront leurs revenus amputés pour financer des consommations médicales passées. »

Les gouvernements ont échoué à ralentir le rythme des dépenses. Seule la loi du 13 août 2004 créant le dossier médical partagé et faisant du médecin traitant un point de passage obligé a tenté de rétablir les équilibres. Les lois sur l'organisation du système de santé de 2009 ou de modernisation en 2015 ont esquivé le sujet financier, la plus récente se concentrant sur la généralisation du tiers payant qui ne sera d'aucune aide pour le rééquilibrage du système [1].

1. La CNAMTS a demandé à cette occasion l'embauche de personnel supplémentaire.

2. Des jeunes en risque sanitaire

Pour les jeunes, le danger sanitaire s'ajoute au péril financier. Moins touchés par les maladies qui se développent à un âge plus avancé tels les cancers ou les pathologies dégénératives, ils sont néanmoins confrontés à une vraie problématique de santé publique.

20 % des étudiants sont ainsi concernés par un symptôme de trouble dépressif. Plus de 40 % des jeunes de 17 ans déclarent avoir déjà pris des médicaments psychotropes (anxiolytiques, somnifères, antidépresseurs). Autre fait notable, l'addiction à l'alcool, au tabac et au cannabis touche toutes les tranches d'âge, notamment les moins de 18 ans. A 17 ans, un tiers des filles et des garçons sont des fumeurs quotidiens et c'est déjà le cas pour 16 % d'entre eux en classe de troisième. Toujours à 17 ans, 59 % ont déjà été ivres et plus de la moitié d'entre eux ont déjà consommé plus de cinq verres d'alcool en une occasion, au cours du mois précédent. Selon une étude d'Assureurs Prévention[1], plus d'un tiers des jeunes conducteurs associent l'alcool à « une soirée réussie » et près d'un jeune conducteur sur trois reconnaît avoir conduit après avoir bu au-delà du seuil

1. Etude « Les jeunes conducteurs, l'alcool et Sam, le capitaine de soirée » avec la Prévention routière, avril 2014.

légal. Quant au cannabis, on estime que 7 % des garçons et 3 % des filles présentent à 17 ans un risque de dépendance[1].

En termes de risques liés à la vie quotidienne, les jeunes représentent un quart des victimes d'accidents corporels, soit 7 % pour les moins de 16 ans et 18 % pour les 16 à 24 ans, des chiffres en augmentation récente. La route est le premier facteur, avec une sinistralité élevée liée à l'usage des deux-roues[2].

Par ailleurs, 41 % des étudiants se disent mal informés sur les infections sexuellement transmissibles autres que le SIDA. Et si 82 % d'entre eux se disent bien informés sur le SIDA, un certain nombre d'idées fausses demeurent sur ses vecteurs de transmission. En matière de contraception, la pilule est majoritairement utilisée par les étudiantes (76 %), mais c'est souvent faute de connaître d'autres méthodes qui pourraient être mieux adaptées à leur situation[3].

---

1. Au même âge, 9 % des ados ont expérimenté des produits à inhaler (colles, solvants, poppers) et moins de 3 % les amphétamines dont l'ecstasy. Cf. « Conduite addictives chez les adolescents », Inserm, 2014.

2. Le risque d'accident en cyclo culmine entre 15 et 19 ans avec 65 tués et 3 200 blessés par an. Entre autres facteurs, le mauvais équipement peut être fatal quand on sait que 7 conducteurs sur 10 ont déjà chuté en deux-roues.

3. Un enjeu d'autant plus important que 32 % des 16-25 ans ayant eu recours à une IVG en 2007 utilisaient une méthode de contraception médicale.

Mal soignés, exposés à des risques spécifiques, les jeunes sont aussi moins protégés face à la maladie. 19 % des étudiants n'ont ainsi pas de complémentaire santé, contre 5 % pour l'ensemble de la population. Un constat inquiétant quand tant d'entre eux vivent sous le seuil de pauvreté. Ils ont alors un accès dégradé aux soins dentaires et à certains spécialistes, comme les ophtalmologues ou les gynécologues dont la majorité sont en secteur 2, accentuant l'inaccessibilité de la consultation. Il n'est pas étonnant dans ces conditions que tant d'entre eux renoncent à consulter un médecin.

D'où l'immense enjeu, pourtant méconnu, d'une médecine scolaire menacée de disparition. Au nombre de 2 650 en 2006, les médecins déclarant une activité régulière de médecin scolaire ne sont aujourd'hui qu'un peu plus de 1 000 pour 12 millions d'élèves, un chiffre qui va encore diminuer avec les départs en retraite. Personne n'en parle et les gouvernements s'en désintéressent alors que la médecine scolaire est un élément majeur de la prévention pour la santé des enfants et des adolescents, notamment dans les milieux défavorisés. Elle est en outre l'une des seules réponses possibles à l'inégalité – une de plus – créée par la désertification médicale qui frappe de nombreuses régions du territoire.

Budgétairement sacrifiée depuis des années, la prévention est pourtant cruciale. Pour prendre l'exemple des soins bucco-dentaires, les programmes de prévention en milieu scolaire ont été réduits depuis 2014 à une dizaine de classes par département, soit 20 000 enfants à l'échelle du pays[1] ! Alors qu'apprendre une bonne hygiène dans ce domaine génère des économies massives sur le plan collectif et un immense mieux-être pour les personnes. Les efforts existent en d'autres matières mais restent globalement insuffisants et, comme souvent en France, peu coordonnés ni hiérarchisés entre les acteurs concernés[2].

Le déficit en matière de prévention à destination des jeunes aggrave une situation déjà pénalisante du fait des carences des mutuelles étudiantes. Celles-ci bénéficient – spécificité française – d'une délégation de gestion du service de prestations pour le régime obligatoire, qui conduit les 1,7 million d'étudiants à s'affilier chaque année pour se faire rembourser[3]. Pour des étudiants déjà trop souvent en

1. Suite à la suppression des crédits du programme M'T dents qui prenait en charge à 100 % les visites chez le dentiste aux âges de 6, 9, 12, 15 et 18 ans.

2. Cf. les rapports parlementaires et ceux de la Cour des comptes (« La prévention sanitaire », octobre 2011).

3. Ils ont le choix entre une dizaine de mutuelles régionales du réseau EmeVia et la mutuelle nationale, la LMDE.

situation précaire, les mutuelles étudiantes devraient donc incarner l'exemplarité. Tant selon l'UFC Que Choisir que pour la Cour des comptes, on en est loin. Rapport après rapport, les critiques s'abattent sur un système peu encadré, pratiquant des conditions de traitement contraires au principe de délégation de service public et trop chères pour la médiocre qualité des services offerts aux étudiants. En 2012, selon la Cour, « un affilié à la LMDE avait une chance sur 14 de pouvoir la joindre au téléphone ». Bon nombre de jeunes, à cause de leurs mutuelles, subissent des retards chroniques pour leurs remboursements ou pour l'édition de leur carte Vitale [1] et se retrouvent en rupture de droits. Les étudiants défavorisés qui bénéficient de la CMU-C ou ceux qui sont en ALD avec des traitements très onéreux sont particulièrement touchés puisqu'ils peuvent être conduits à renoncer ou reporter des soins. Ainsi 17,4 % d'entre eux déclarent renoncer à se soigner [2] ! Le défenseur des droits, à son tour, a stigmatisé dans un rapport

1. Alors que les 1,7 million d'étudiants devraient avoir leur carte Vitale, le régime étudiant de sécurité sociale annonce 2,5 millions de cartes actives, soit 47 % de cartes erronées ou de doublons.

2. 8e enquête nationale sur l'accès aux soins des étudiants, 2013, EmeVia.

de mai 2015 un système défaillant où les justificatifs se perdent et où un étudiant souffrant d'un cancer est laissé pendant des mois sans remboursement[1].

Alors que certaines mutuelles, à commencer par la LMDE à laquelle adhèrent la moitié des étudiants français, sont financièrement en péril[2], les pouvoirs publics ont une fois de plus tergiversé pour remettre à plat le régime étudiant. Dans son rapport de 2013, la Cour des comptes insistait : « Le mode de gestion déléguée, devenu inefficace et coûteux, doit être reconsidéré. » Deux options existent : la première revient à confier la gestion des étudiants aux caisses d'assurance maladie, comme la LMDE a dû y consentir en 2015. La seconde consiste à laisser le choix à chaque étudiant entre affiliation à la Sécurité sociale étudiante et maintien du rattachement au régime des parents, pour que la concurrence pousse les mutuelles à améliorer le rapport qualité/coût du service rendu.

---

1. « Etudes et propositions sur les dysfonctionnements de la sécurité sociale étudiante », UFC-Que Choisir, 2014.

2. La LMDE placée sous sauvegarde de justice en février 2015 avec une dette de plus de 35 millions d'euros (dont 5 seulement correspondant aux frais de santé des étudiants) a dû confier à compter d'octobre 2015 la prise en charge de la couverture santé de base à la Sécurité sociale.

3. La bombe à retardement des retraites

Sujet explosif[1], le financement des retraites est aussi le sujet générationnel par excellence. La France applique un régime de répartition fondé sur le «principe de solidarité entre générations». On paye chaque année les retraites grâce aux cotisations des actifs. Tant qu'il y en a suffisamment, tout va bien. Quand la proportion d'actifs diminue, rien ne va plus.

Outre la répartition, existe le système de capitalisation. Là, ce sont les futurs retraités qui cotisent pour leur propre retraite pendant leur période d'activité. Cet argent est placé dans des fonds qui le font fructifier pour financer ultérieurement les pensions. En France, ce système fait peur parce qu'il entérine les inégalités de revenu et semble préfigurer une «privatisation» de notre modèle social. D'où l'hostilité des manifestants contre la loi Fillon en 2003 et ce slogan qui est aussi un bon exemple de tir de balle dans le pied pour les jeunes qui l'entonnaient: «so, so, so, solidarité entre générations, c'est la répartition». Le système de répartition serait en réalité leur ruine, s'il conservait sa configuration actuelle.

---

1. Michel Rocard, Premier ministre à la fin des années 80, parlait de «bombes à retardement» à propos des retraites, ajoutant: «Il y a là de quoi faire sauter plusieurs gouvernements.»

Depuis dix ans, le régime général d'assurance vieillesse est structurellement dans le rouge. De 2 Mds d'euros en 2005 à 4,6 Mds en 2007, le déficit s'est accéléré avec le départ des générations du baby-boom : 9 Mds d'euros en 2010 avant de revenir autour de 3,5 Mds en 2014[1]. Sans réforme le seul vieillissement de la population dégraderait le rapport entre cotisants et retraités, avec plus de 3 cotisants par retraité en 1975, 1,7 en 2010, à peine 1,2 en 2050[2].

Ecrasant financièrement pour les actifs de demain, c'est-à-dire pour les jeunes générations d'aujourd'hui, l'impact du système actuel des retraites serait tout aussi paralysant pour l'Etat. Les recrutements des trente dernières années dans la fonction publique s'ajouteraient au poids des pensions pour réduire à néant les marges de manœuvre budgétaire du pays. L'Etat serait incapable de financer l'éducation, la recherche, les dépenses d'infrastructure ou les services publics.

Il est encore temps d'échapper à ce scénario catastrophe, annoncé il y a plus d'un quart de

1. Sous l'effet d'une nouvelle hausse des cotisations ces dernières années.

2. Le Conseil d'orientation des retraites estime que les retraites seraient à l'équilibre dans les années 2030 à condition que les revenus d'activité progressent de 1,5 % par an et que le taux de chômage retombe à 4,5 %. Mission impossible.

siècle. Il s'agit de reconstruire notre protection sociale en fonction de la démographie française. Une œuvre de longue haleine dont on sait juste que plus tôt on la commence, plus faible sera la pente à grimper, plus vite nous aurons retrouvé les grands équilibres, évitant ainsi à la jeunesse française d'avoir à régler, seule, l'addition.

Qu'a-t-on fait ? En 1993, Edouard Balladur a allongé la durée de cotisation nécessaire pour une retraite à taux plein, modifié le calcul du taux de remplacement[1] et indexé les retraites sur le coût de la vie et non sur l'évolution des salaires. En 2003, le gouvernement Raffarin a aligné avec la loi Fillon les fonctionnaires sur les salariés du privé, en portant progressivement la durée de cotisation à 41,5 annuités en 2020 pour tous les salariés, et il a modifié l'indexation des pensions des fonctionnaires. En 2010, Eric Woerth et le gouvernement Fillon ont acté le passage progressif de l'âge légal de départ à la retraite à 62 ans, confirmé par le gouvernement de Jean-Marc Ayrault dans sa réforme de 2013, à l'exception des carrières longues, assorti d'un surcroît de cotisations qui n'a modifié qu'à la marge les données du problème.

1. Ce pourcentage du revenu d'activité qu'un salarié conserve quand il fait valoir ses droits à pension est désormais calculé sur les vingt-cinq meilleures années au lieu des dix dernières.

Parallèlement, la réforme des régimes spéciaux – ces pensions servies plus tôt et plus généreusement que pour le reste de la population – a été balayée avec le plan Juppé en 1995, à la grande joie de jeunes manifestants inconscients. Ils venaient de gâcher là leur chance de rétablir un peu d'égalité entre les générations. Ce n'est pas le timide et coûteux toilettage réalisé en 2008 sous Nicolas Sarkozy qui aura changé la donne.

C'est tout. C'est moins qu'ailleurs en Europe. C'est insuffisant. Selon le Conseil d'orientation des retraites, si l'on en restait là, le trou financier représenterait encore 3 points de PIB en 2050. Trois leviers financiers existent donc : baisser le taux de remplacement d'un peu moins de 10 %, augmenter les prélèvements de près de 6 %, ou accroître l'âge effectif de liquidation de la retraite. Lequel activer ?

Proposer une forte réduction du niveau des pensions dans trente ans est inacceptable car ce serait alors les jeunes d'aujourd'hui qui en seraient les victimes ! Après une jeunesse rendue difficile, leur réserverait-on une vieillesse de pauvres ? Quant à accentuer le poids des cotisations des employeurs, ce serait une folie pour la compétitivité de nos entreprises[1].

1. Les entreprises financent déjà les retraites complémentaires (AGIRC-ARRCO) qui représentent en moyenne 30 % des retraites versées.

Sous réserve d'exceptions pour les professions réellement pénibles, la seule solution, moralement et économiquement, passe par retarder l'âge légal de départ à la retraite. Tous nos voisins le font. En Allemagne il recule progressivement, entre 2011 et 2034, de 65 à 67 ans. En Italie, il est passé depuis 2008 à 65 ans pour les hommes (60 ans pour les femmes). Au Royaume-Uni, il passera de 65 ans à 66 ans en 2024, 67 ans en 2034 et 68 ans en 2044. En France, il est toujours prévu qu'il ne soit que de 62 ans en 2018. Or il y a d'autant plus urgence que le rythme des départs en retraite s'accélère depuis 2006 : les baby-boomers quittent le navire. Rétablir l'équité entre générations commande donc d'accélérer le retour à l'équilibre. D'où un objectif minimal de passer à 63 ans dès 2020 et d'appliquer par la suite une augmentation automatique en fonction de l'allongement de l'espérance de vie, soit environ un trimestre par an [1].

Cette solution est aussi la plus logique. La durée de vie après la retraite était de dix ans pour les personnes nées en 1910, dix-sept ans

1. Un système par points fondé sur la hausse du nombre de trimestres de cotisations constituerait une alternative plus satisfaisante. Mais elle nécessiterait une longue période de transition et ne répondrait donc pas à l'urgence, contrairement au recul de l'âge de départ à la retraite.

pour celles nées en 1930 ; elle sera de vingt-cinq ans pour la génération née en 1970. Soyons cohérents et justes : pourquoi des sexagénaires aujourd'hui en bien meilleure santé physique qu'il y a quarante ans, devraient-ils partir plus tôt à la retraite ? La contradiction en est évidente. D'autant plus en France, où l'âge moyen de départ en retraite est de 62 ans et où l'emploi des 55-64 ans est plus faible que dans la moyenne de l'Union européenne.

Le départ longtemps précoce des retraités français s'explique par le maintien presque intégral de leur pouvoir d'achat, une exception en Europe. Nous avons mis en place, au nom du « partage du travail », de coûteux dispositifs avançant le départ à la retraite sans créer d'emplois, mais qui nous ont permis de transformer, dans les comptes sociaux comme dans les chiffres du chômage, des chômeurs âgés en jeunes retraités. Ce tour de passe-passe a évidemment un inconvénient : nous avons dépensé plus en préretraites et en pensions, et perçu moins en cotisations. A l'arrivée, le déficit était inévitable.

Une autre voie de rééquilibrage consisterait à renforcer les mécanismes de capitalisation en France. Dans toute l'Europe, y compris la plus sociale-démocrate, on a compris qu'il fallait veiller à un équilibre assorti d'une complémentarité entre le financement des retraites par répartition et par capitalisation. Selon les pays, on constate que les pensions servies par voie de capitalisation vont d'environ 20-25 % dans les pays du Nord (Allemagne, Danemark) à 50 % au Royaume-Uni. En France, ce chiffre est inférieur à... 3 %. En dehors de l'assurance vie, placement préféré des Français dans la perspective de leur retraite, notre seul « fonds de pension » est la « Préfon[1] » réservée aux fonctionnaires. Un rééquilibrage au profit de ce support d'épargne de long terme aurait l'avantage d'accroître la part de capitaux finançant l'économie. Ce mécanisme pourrait de surcroît apporter une solution viable à la question de la dépendance, un droit promis par Nicolas Sarkozy puis par François Hollande, mais jamais mis en œuvre pour la simple raison qu'il est hors de portée financière sans recours à un puissant levier assurantiel.

Retraites, santé, dépendance... notre modèle social se fracture à mesure que notre population vieillit. Plus tôt les révisions inévitables seront engagées, moins douloureuse sera la pression financière sur la jeunesse, plus grande sera la solidarité entre générations, mieux la France sera armée pour accomplir son destin.

---

1. Le régime Préfon-Retraite, plus connu sous le nom de « Préfon ».

CHAPITRE 9

Citoyenneté : tu ne peux pas regarder du balcon

Il n'était pas écrit que, sous les pavés, la plage promise serait celle sur laquelle les soixante-huitards iraient se dorer au soleil pour leurs vieux jours, en laissant la facture du voyage aux générations suivantes. Notre jeunesse pourrait leur retourner les affiches de l'époque et leurs slogans rageurs : *Sois jeune et tais-toi, L'Intox vient à domicile, Non à la Bureaucratie, Remplaçons les vieux engrenages, Votez toujours je ferai le reste, Réformes chloroformes, Retour à la normale…* Sans oublier l'affiche sur laquelle est dessiné un bébé, déjà entouré par cette question devenue d'une actualité lancinante : *Sera-t-il chômeur*[1] ?

Jean-Jacques Goldman a illustré ce retournement de l'histoire dans la chanson qu'il a écrite en 2015 pour les Restos du Cœur, *Toute la vie*, et cela n'a pas fait plaisir à tout le monde. Les

1. Affiche reproduite en couverture du présent ouvrage.

jeunes y ont vu du paternalisme, leurs aînés n'ont pas apprécié qu'on souligne leur déni de toute responsabilité dans le monde actuel. Le message de la chanson, c'est que les torts bien réels de leurs aînés dans le passé ne dispensent pas, aujourd'hui, les jeunes de faire l'effort de prendre leur vie en main[1].

1. Le parti des abstentionnistes

Le mot du pape encourageant les chrétiens à s'engager: «Tu ne peux pas regarder du balcon», vaut pour tous. Si les jeunes ne s'impliquent pas, qu'ils ne s'étonnent pas de subir la politique du premier parti de France: celui des seniors.

Car le principal parti des jeunes Français est celui de l'abstention. Les jeunes étaient déjà la classe d'âge la plus abstentionniste au premier tour de l'élection présidentielle de 2012. Mais les trois quarts d'entre eux avaient quand même voté. Quelques semaines plus tard, aux législatives, la chute était brutale, leur abstention avoisinant les deux tiers. Le résultat a été tout aussi calamiteux aux municipales de 2014, 55%

---

1. Jean-Jacques Goldman explique sur le site des Restos du Cœur: «Que la jeunesse nous demande des comptes me semble la moindre des choses. Le fait que la chanson se termine en faisant confiance à l'avenir aussi.»

des moins de 25 ans n'ayant pas voté, un écart gigantesque comparé à la moyenne nationale de l'abstention : 36 %. Aux Européennes de 2014, c'était pire encore : 77 % des 18/34 ans se sont abstenus[1].

Pour se faire entendre, les jeunes doivent exister électoralement, donc voter. Les réseaux sociaux devraient y contribuer à l'avenir, comme en Corée où leur mobilisation a pesé sur les résultats électoraux et comme en Irlande où des dizaines de milliers de jeunes sont revenus du monde entier voter au référendum de mai 2015 sur le mariage gay. D'autant que, paradoxalement, la chose politique les intéresse, comme le montre une étude éclairante de Michael Bruter et Anne-Julie Clary[2]. Pour les trois quarts d'entre eux, leur premier vote est même vécu comme « un moment important de leur vie ». Quant à l'Europe, s'ils la reçoivent avec scepticisme sur le plan économique[3], ils la voient comme un acquis important, non seulement pour la minorité qui peut profiter d'Erasmus, mais pour plus de 40 %

1. Aux départementales de 2015, quand l'abstention nationale était de moins de 50 %, elle a été de 73 % pour les moins de 25 ans.

2. « Les jeunes et le vote », rapport d'enquête pour Civic Planet et l'Association nationale des conseils d'enfants et de jeunes (Anacej), juillet 2014.

3. 55 % des 18-24 ans pensent qu'elle a amplifié les effets de la crise (OpinionWay, juin 2015).

de leur classe d'âge, tous niveaux d'éducation confondus.

Citoyens en conscience mais abstentionnistes aux élections, prêts à s'investir dans les ONG mais réfractaires aux partis politiques, lecteurs occasionnels de la presse mais drogués aux réseaux sociaux, européens de cœur sans fibre militante pour l'Europe, voilà nos jeunes concitoyens dans tous leurs états.

Pour expliquer leur retrait des formes traditionnelles de participation à la vie politique, les études d'opinion répondent: par rejet de la classe politique française, de ses fausses promesses et de ses jeux partisans. Pour expliquer leur abstention, 71 % des jeunes invoquent ainsi «les mensonges des hommes politiques», 45 % mentionnant «le décalage avec leurs aspirations[1]».

C'est un fait plutôt rassurant que les programmes importent aux yeux des jeunes, puisque leurs préoccupations ne sont pas toujours celles de leurs aînés. L'immigration et l'insécurité sont ainsi placées moins haut dans leurs priorités. Les impôts, l'économie, l'éducation venaient en tête de leurs attentions lors des élections municipales de 2014. Autres éléments importants de différenciation: leur soutien au «mariage pour tous» à 78 % mais aussi à la

1. «Les jeunes et le vote», *op. cit.*

mondialisation, considérée comme une chance par 61 % d'entre eux.

2. *Plafond de verre, mur d'incompréhension*

Il n'y a pas que les sondages. Les émeutes des banlieues avaient déjà souligné que les problèmes de la jeunesse ne se réduisent pas à la protestation universitaire et lycéenne. Au mal de vivre dans les cités, à la frustration des jeunes face aux difficultés d'insertion, au coût des logements, à l'éclatement des structures parentales, s'ajoutent les tensions intracommunautaires et entre communautés qu'on a mesurées dans la troublante hostilité de tant d'ados au message de leurs enseignants, après les attentats de janvier 2015.

Pour les jeunes appartenant aux minorités visibles, le chemin est semé d'embûches. Et l'ascenseur social est en panne. Même ceux qui réussissent à franchir les obstacles scolaires viennent se heurter au « plafond de verre » professionnel. Tidjane Thiam insiste : « Les Noirs et les Maghrébins ne sont pas bons qu'à jouer au foot (...) Ils ont aussi beaucoup à apporter dans les écoles, dans les hôpitaux, dans les entreprises, dans les conseils d'administration[1]... » Et

1. Interview dans *Le Point* du 10 mars 2015.

puis, il y a ces gamins qui dans la vie de tous les jours sont exposés au racisme ordinaire et aux préjugés. Ils voient dans la police une menace au lieu d'une protection et se sauvent en la croisant, parce qu'ils ont peur, au risque de périr brûlés dans un transformateur d'EDF. Triste chronique d'un sentiment d'injustice qui monte dans la société, dans les communautés concernées et chez les jeunes. Un immense gâchis qu'il nous faut surmonter.

Ils votent peu, donc. Mais quand ils votent, le font-ils différemment de leurs aînés ? Favorables à la gauche au début des années 80, ils se sont recentrés depuis[1]. En 2002, au premier tour, ils avaient accordé autant de suffrages (13 %) à Lionel Jospin qu'à Jacques Chirac et Jean-Marie Le Pen, mais c'est Noël Mamère qui avait eu, avec 14 %, leur préférence. En 2007, ils avaient soutenu Ségolène Royal et en 2012, François Hollande, en tête chez les moins de 25 ans avec 29 % des voix, soit à peine plus que les 27 % de Nicolas Sarkozy.

Globalement, en lissant les caractéristiques liées aux différents types de scrutin, on retient que les jeunes votent de façon assez proche du

1. Selon un sondage Harris Interactive de 2014, ils se considéreraient à gauche pour 30 %, à droite pour 28 %, au centre pour 14 %, ni à gauche ni à droite pour 30 %.

reste de la population, avec quelques nuances : ils favorisent les listes sans étiquette, divers gauche et droite. Ils votent en moyenne légèrement plus que les autres en faveur des Verts[1] et du Front national de Marine Le Pen[2] (avec cette particularité que le vote Front national des jeunes est pour les deux tiers un choix masculin). Et ils sont un peu en dessous de la moyenne nationale pour le vote en faveur du PS, des Républicains et de l'extrême gauche…

S'ils votent peu et s'ils sont insatisfaits des programmes des partis, c'est aussi parce qu'ils se sentent éloignés des responsabilités. La vie politique française ne leur réserve pas plus de place que le reste de la société. Le mauvais exemple vient comme toujours d'en haut. Georges Pompidou est mort en exercice. Jacques Chirac et François Mitterrand ont fait deux mandats, jusqu'au bout de leurs forces. Valéry Giscard d'Estaing et Nicolas Sarkozy, écartés par les électeurs, n'ont eu de cesse de vouloir revenir

1. Le record appartient à Daniel Cohn-Bendit aux élections européennes de 1999 avec 18 % des voix chez les jeunes.

2. A noter, dans le sondage OpinionWay pour l'Institut Diderot de juin 2015, le différentiel de 10 points entre les jeunes et l'ensemble des Français quant à une évolution « en bien » de l'économie en cas d'élection de Mme Le Pen (26 % contre 16 %).

à l'Elysée. Dans les pays voisins, au contraire, ni Blair, ni Schröder, ni Aznar, ni Zapatero, ni Thatcher n'ont tenté de s'accrocher au pouvoir. Reste le cas Berlusconi : il est vrai qu'il a beaucoup fréquenté nos dirigeants…

Nos gouvernements ont eu un peu plus de 53 ans d'âge moyen, que ce soit sous Fillon, Ayrault ou Valls, contre 48 ans en Belgique, 49 aux Pays-Bas, 51 au Royaume-Uni et en Allemagne. Mark Rutte est devenu Premier ministre aux Pays-Bas à 43 ans, Matteo Renzi à 39 ans, David Cameron à 44 ans et Angela Merkel à… 51 ans, un an de moins que Manuel Valls quand il a été nommé chef du gouvernement.

Notre Assemblée nationale a quasiment 60 ans d'âge moyen depuis 2012, à comparer à 44 ans en Belgique, 46 aux Pays-Bas, 49 en Allemagne, 50 au Royaume-Uni, 53 en Italie. En juin 2012, 11 de nos députés seulement avaient moins de 40 ans, 54 avaient plus de 70 ans. Comme le relève Eric Keslassy[1], les 20 à 30 ans qui représentent 12,4 % de la population ne pèsent que 0,35 % des députés. Au Sénat, c'est encore plus, avec 62 ans de moyenne après le

1. « Une Assemblée nationale plus représentative ? », note de l'institut Diderot, octobre 2012. Les femmes ne constituent qu'un quart des élus, loin de la parité. Quant aux minorités visibles, la note les estime à 12 à l'Assemblée.

« renouvellement » de 2014 et sept sénateurs seulement de moins de 40 ans.

Cette longévité toute française du personnel public, confortée par le cumul des mandats, décourage les vocations et entretient un fossé entre le monde des politiques qui y font carrière et le reste de la population, à commencer par les jeunes. Rappelons-nous le triste « Je ne vous comprends pas » de Jacques Chirac, lors de son débat sur TF1 avec les jeunes, pendant la campagne du référendum sur l'Europe.

Un fossé pas totalement infranchissable puisque certains se glissent entre les mailles du filet, tels aujourd'hui Emmanuel Macron et Najat Vallaud-Belkacem à gauche, Bruno Lemaire et Nathalie Kosciusko-Morizet à droite[1]. Mais comment ne pas être frappé par le fait que les deux benjamins de l'Assemblée nationale sont deux élus du Front national : Marion Maréchal-Le Pen et David Rachline, arrivés sur les bancs de leurs assemblées à 23 et 26 ans ? Du reste, l'âge moyen des élus est le plus faible au FN (43,5 ans) devant les Verts (49,4 ans) quand la moyenne est à 54 ans au PS et 56 ans chez les Républicains. Les partis traditionnels doivent corriger le tir, sauf à laisser le Front national apparaître comme le seul espace

1. Nés respectivement en 1977, 1977, 1975 et 1973.

de renouvellement et d'appel d'air pour les générations montantes.

A défaut de voir les partis politiques refléter leurs préoccupations, les jeunes interviennent dans le débat public par soubresauts. Dans leur périmètre naturel, celui de l'école, de l'Université, de la rue : 37 % des 15-17 ans ont ainsi déjà participé à des manifestations. Ou dans le nouvel espace virtuel qu'ils dominent et dans lequel ils sont de plus en plus nombreux à se réfugier : celui des réseaux sociaux.

Leurs préoccupations apparaissent au travers des enquêtes d'opinion mais aussi dans les blogs ou les textes qu'ils écrivent. Le prix Clara[1] qui, chaque année, édite les meilleures nouvelles écrites par des adolescents en offre l'illustration. On y retrouve comme thèmes principaux la peur de la crise, du chômage, de la maladie, de la guerre, des violences familiales, du religieux, de la pollution, du terrorisme, du suicide… Mais on y voit aussi apparaître la capacité de mobilisation de la jeunesse autour de valeurs positives telles que l'amour de l'autre, la protection de la planète, les actions humanitaires et cette Europe dont ils plébiscitent le droit à travailler, vivre, étudier dans un autre Etat de l'Union. Une large majorité des moins de 30 ans estime que « la politique

1. Editions Héloïse d'Ormesson. Le prix est remis chaque année au mois de novembre.

est importante[1] ». Et ce sont des jeunes qui ont incarné la génération Charlie, avec cette photo qui a fait le tour du monde d'une grappe de manifestants sur la statue de la place de la République.

3. Remplaçons les vieux engrenages

« Remplaçons les vieux engrenages » disaient les affiches de Mai 1968. Vaste programme ! Mais un programme auquel nous devons nous atteler de toutes nos forces. Pour sortir de la « génération désenchantée » chère à Mylène Farmer, l'échéance de 2017 sera décisive. C'est peut-être la dernière chance de faire adopter un contrat équitable, qui serve de tremplin à notre sursaut collectif. Faute de quoi la spoliation des jeunes ne pourrait conduire qu'à un éclatement de la société française, un clash entre générations.

L'un des piliers de ce nouveau contrat social devrait être de redonner aux jeunes leur place de citoyens à part entière dans la vie publique. Quelques pistes peuvent être avancées à cet égard :

— Avancer l'âge de vote à 16 ou 17 ans mériterait d'être testé en grandeur réelle, en commençant

1. Etude réalisée en décembre 2013 de l'AFEV (Association de la Fondation Etudiante pour la Ville).

par les élections locales. Plus tôt le jeune est impliqué dans la vie collective, plus tôt en effet il intègre ces questions à sa propre réflexion. Cette proposition figurait au programme des travaillistes britanniques en 2015.

— Réduire le nombre de non-inscrits sur les listes électorales comme des mal-inscrits est possible. En 2004, seuls les trois quarts des 18-29 ans étaient inscrits, en dépit du dispositif prévu depuis la loi de 1997 à partir des listes du recensement effectué en vue de la journée « Défense et citoyenneté ». Le problème des mal-inscrits est distinct. Ce sont les jeunes qui, parce qu'ils sont mobiles, sont inscrits loin de leur nouveau lieu de résidence effectif. Ils devraient pouvoir changer facilement et vite de bureau de vote grâce à Internet.

— Solenniser le premier vote, puisque les enquêtes montrent qu'il s'agit d'un moment important pour nos jeunes. Il doit être possible d'en faire un rite de passage citoyen dont l'éclat soit, pour l'intéressé, source de fierté et de motivation.

— Faciliter l'accès des jeunes à l'information. Comme le dit le PPD des Guignols, la télévision n'est plus que l'ancêtre d'Internet, hors les décryptages décapants du « Petit journal ». La révolution numérique est en marche et entraîne la désaffection des jeunes envers la presse quotidienne, pourtant si importante pour structurer, hiérarchiser et assurer la fiabilité de l'information. Les Etats généraux de la presse écrite de 2008 avaient offert aux jeunes de 18 ans un abonnement gratuit au quotidien de leur choix. Cette initiative pourrait être renouvelée sous forme d'un accès gratuit des jeunes à l'édition numérique de leur choix pendant quelques mois, à relayer et accompagner par les enseignants.

— Transformer la vie des partis en y forçant la représentation des jeunes comme cela a été fait, dans la douleur et seulement partiellement, pour les femmes. Ce qui passe par le renoncement au cumul, le renouvellement des listes, le changement de gouvernance.

— Apaiser les relations entre les forces de l'ordre et la jeunesse, tant depuis l'école qu'à travers la formation des fonctionnaires, pour réduire les discriminations et faire tomber les suspicions réciproques. Et prolonger cet effort de pédagogie et de tolérance dans la société civile à travers le travail de mémoire que mènent des fondations comme celle de la mémoire de la Shoah en envoyant des ados à Auschwitz et en formant des éducateurs. De même, il serait utile de soutenir les associations qui œuvrent pour la diversité en accompagnant les jeunes dans l'accession aux formations de leurs rêves et aux métiers qui leur paraissent inaccessibles[1].

— Développer, enfin, la citoyenneté européenne dans le cursus de la formation via des échanges renforcés et l'extension des programmes Erasmus aux apprentis, mais aussi rapprocher les institutions européennes de la jeunesse, au lieu de faire du Parlement européen la clinique des grands brûlés PS ou Républicains du suffrage universel. Un quota obligatoire de 20 % de candidats âgés de moins de 35 ans sur les listes pour les élections européennes permettrait de susciter le rajeunissement.

La réconciliation des jeunes Français avec la citoyenneté passe ainsi par l'Union. Il revient aux jeunes générations de marquer d'une empreinte nouvelle « leur » Europe. Cet engagement pourrait permettre de réinventer une construction européenne aujourd'hui enlisée entre surréglementation et repli identitaire, au point d'oublier l'essentiel : c'est-à-dire qu'avant, c'est de la Guerre et de la Paix qu'il s'agissait entre nos nations.

---

1. Citons à titre d'illustration la Fondation Culture et Diversité de Marc de Lacharrière ou la Fondation Euris de Jean-Charles Naouri qui récompense l'excellence de lycéens défavorisés.

CHAPITRE 10

Conclusion : pour une Nouvelle Alliance entre générations

Il ne faut pas désespérer la jeunesse. Elle ne se soulèvera pas comme en 1968 parce qu'elle s'ennuie au sein de la société qu'on lui a offerte[1] ; mais elle peut enrager de l'avenir qu'on est en train de lui voler. A nous de lui faire sentir que sa place est ici, de lui donner l'envie et le courage d'investir en France son énergie, son imagination, sa force de travail.

C'est pourquoi, entre des jeunes en mal d'avenir et une société vieillissante qui n'arrive pas à partager leur compréhension du monde, il faut impérativement rétablir le dialogue et proposer des objectifs.

Qui va prendre l'initiative de la nouvelle donne ?

L'élection présidentielle de 2012 avait attiré l'attention sur les problèmes des jeunes. Celle

1. Les événements de Mai avaient été précédés par un article du 15 mars 1968 de Pierre Viansson-Ponté dans *Le Monde* intitulé « Quand la France s'ennuie ».

de 2017 devra être axée sur la meilleure façon de les résoudre. Il en va de notre salut collectif : si, demain, les jeunes n'adhèrent plus au contrat social, c'est tout notre système public et toute notre économie qui seront mis à bas.

Quelles que soient les circonstances politiques de cette élection, notre grand dessein à cette occasion devra être de faire d'une Nouvelle Alliance entre générations notre feuille de route contre le déclin. Non seulement parce qu'en aidant notre jeunesse, c'est nous tous que nous aiderons. Mais, on l'a vu au fil des pages qui précèdent, parce que c'est grâce à un rééquilibrage d'ensemble de nos politiques publiques que les jeunes pourront trouver la place à laquelle ils aspirent dans notre société.

Bien sûr, ces rééquilibrages n'iront pas sans susciter des questions, des craintes ou des oppositions, toutes légitimes en démocratie. C'est pourquoi les candidats à l'élection présidentielle de 2017 devront y apporter clairement leurs réponses.

On s'apercevra alors que les programmes des uns et des autres ne sont pas irréconciliables sur beaucoup de sujets. Et qu'ils sont parfois même complémentaires. On réalisera qu'une grande coalition comme celle qui fonctionne avec succès en Allemagne serait la voie la plus naturelle pour mettre en œuvre politiquement cette nouvelle alliance. Et qu'à défaut d'un accord sur l'ensemble, l'avènement *a minima* d'un accord politique entre majorité et opposition sur un périmètre précis de réformes transpartisanes suffirait à rendre possibles des miracles.

On pourrait ainsi au moins s'accorder pour rénover notre système éducatif ; pour flexibiliser le marché du travail et développer l'apprentissage en facilitant son accès aux jeunes ; pour réintroduire une part de capitalisation et retarder les départs à la retraite afin de rééquilibrer notre système de protection sociale ; et enfin pour favoriser l'engagement citoyen de la jeunesse dans la vie de la cité.

Réformes des savoirs, du travail, des comptes publics et sociaux, de la vie citoyenne : voilà les quatre côtés du carré magique qui pourrait sceller cette Nouvelle Alliance entre générations. Ce livre porte des propositions pour concrétiser chacune d'entre elles, qu'on trouvera résumées à la suite du présent chapitre.

La réforme des savoirs dotera la jeunesse française d'un accès équitable, transparent et sans hypocrisie à une formation garantissant une vraie acquisition de compétences et de connaissance et débouchant sur un travail, qu'il soit intellectuel ou manuel. Elle assurera la poursuite de cette formation au fil du temps et des activités.

Celle du travail adaptera les règles du monde professionnel aux besoins de la jeunesse. Elle flexibilisera le droit du travail, en le simplifiant et en assouplissant ses règles. Elle privilégiera la liberté de travailler, y compris la liberté d'installation dans les professions réglementées. Elle assurera que la dynamique salariale ne pèse pas sur l'employabilité des jeunes. Tout doit être tenté pour faciliter l'embauche.

La réforme des comptes publics garantira la pérennité du système de protection sociale et des services publics. Elle assurera le retour à l'équilibre budgétaire, en limitant l'effort demandé aux jeunes. Elle permettra une juste répartition des gains de l'espérance de vie en matière de retraite, et un partage équitable des coûts en matière de santé.

La réforme de la citoyenneté viendra d'autant plus naturellement que les trois précédentes auront été engagées et auront permis un débat démocratique sur la place des jeunes dans notre société. Elle renforcera, dès le plus jeune âge, le sentiment d'appartenir à une collectivité démocratique où chacun peut et doit faire entendre sa voix pour trouver sa place. Elle abaissera l'âge de participation aux élections locales et solennisera le premier vote. Elle éveillera enfin les jeunes à la citoyenneté européenne et à ses bénéfices, en ouvrant par exemple aux apprentis le système Erasmus.

Cette Nouvelle Alliance marquerait la victoire de la confiance sur la peur de l'autre, du collectif sur l'individualisme, du partage sur la défense des prés carrés.

Seul un mandat clair du peuple au Président élu lui permettra de la mener à bien, dans le respect de la pluralité d'opinion, sans s'en remettre une fois de plus à des « partenaires sociaux » qui n'en peuvent mais. Autour de nous, Schröder, Blair et Renzi ont ouvert la voie. Il n'y a aucune raison qu'un soutien massif des Français ne puisse donner à un gouvernement de coalition ou, à défaut, à un gouvernement doté d'une feuille de route transpartisane, le pouvoir de la forger. D'autant qu'un éventuel affrontement contre l'extrême droite au second tour permettrait à son adversaire victorieux d'appeler un gouvernement représentant l'ensemble de ceux qui l'auraient élu. L'opportunité en avait été donnée en 2002 à Jacques Chirac, qui n'en avait alors rien fait.

L'élection présidentielle de 2017 est le prochain grand rendez-vous démocratique pour redonner confiance à la jeunesse. Aux jeunes, donc, de s'y faire entendre en allant massivement voter. Aux candidats d'y puiser l'énergie et le courage du changement. A nous tous de saisir la chance de susciter l'élan de réformes qui partageront l'effort entre générations, dans le souci du pragmatisme et avec l'ambition du bien commun.

Accordons à la jeunesse l'attention qu'elle mérite, si nous voulons entraîner son adhésion. Sinon gare au réveil ! Les jeunes ne peuvent se satisfaire d'un avenir écrit par d'autres où on ne leur concéderait qu'une place de supplétifs. Pour eux, le choix sera simple : se résigner, se battre ou s'en aller.

Dans une démocratie, écrivait Pierre Mendès France, « le plus grand danger c'est la négligence des citoyens »[1]. Le plus grand danger dans la France de 2017 serait de négliger notre jeunesse…

---

1. Pierre Mendès France, *La Vérité guidait leurs pas*, Paris, Gallimard, 1976.

24 propositions concrètes pour une Nouvelle Alliance entre générations :

Réforme du marché du travail	Réforme des savoirs
1. Mettre en place un contrat de travail unique avec constitution de droits progressive pour les salariés 2. Supprimer l'ensemble des charges sociales restantes au voisinage du Smic, y compris pour les particuliers employeurs 3. Renoncer aux hausses du Smic tant que le taux de chômage global n'est pas revenu sous la barre des 8% ou le taux de chômage des jeunes sous la barre des 15% 4. Systématiser la liberté d'installation dans les professions réglementées 5. Lancer le programme « Erasmus Pro», pour permettre à 1 million d'apprentis de se former d'ici à 2020 dans un autre pays de l'Union que le leur 6. Délivrer une carte de séjour « talents et compétences » valable 10 ans à tous les étrangers diplômés d'une grande école ou du deuxième cycle universitaire français	7. Confier aux entreprises, via les structures paritaires, le dernier mot sur les ouvertures/fermetures de classes dans les lycées professionnels 8. Doubler les effectifs des grandes écoles d'ici à 2020, autoriser la sélection à l'entrée à l'Université, puis à l'entrée en master, en y développant la formation continue 9. Transformer la perception en France des « métiers de la main » par une action de long terme de communication et de valorisation de l'apprentissage 10. Transfert massif des moyens financiers de l'Education nationale vers les MOOCs pour des millions de jeunes connectés 11. Instaurer un crédit d'impôt pour les entreprises qui prennent en charge les coûts de formation de leurs salariés 12. Réserver l'enseignement d'une seconde langue étrangère aux élèves qui maîtrisent suffisamment la première, ainsi que le français

Réforme des comptes publics et sociaux	**Réforme de la citoyenneté**
13. Réduire le déficit public pour stabiliser la dette dès 2017, en sanctuarisant les dépenses qui profitent le plus aux jeunes 14. Présenter chaque année au Parlement l'état de la « dette implicite » de l'Etat et des régimes de sécurité sociale lors des votes budgétaires 15. Redonner à tous les jeunes l'accès aux soins par une réhabilitation de la médecine scolaire et par des programmes de prévention sur tous supports, notamment numériques 16. Remplacer le mode de gestion des mutuelles étudiantes pour laisser jouer la concurrence 17. Relever l'âge légal de départ en retraite à 63 ans d'ici 2020, puis augmenter la durée de cotisation en fonction des gains constatés d'espérance de vie 18. Augmenter la part des retraites par capitalisation à un niveau significatif du volume total des pensions servies	19. Offrir aux jeunes de 18 ans un abonnement gratuit de 6 mois au quotidien en ligne de leur choix 20. Abaisser l'âge du vote à 16 ans pour les élections locales 21. Prévoir une inscription automatique, effective et à la bonne adresse, de l'ensemble des jeunes sur les listes électorales 22. Solenniser le premier vote pour en faire un moment marquant de la vie citoyenne 23. Instaurer un quota de 20% de jeunes de moins de 35 ans sur les listes des candidats aux élections européennes 24. Augmenter l'offre de logements en autorisant les copropriétés à s'étendre en franchise de taxe et selon des règles d'urbanisme simplifiées, ainsi qu'en créant de nouvelles places en cités universitaires

Postface

Lettre à une jeune Française née en 2022

Chère toi,

Bienvenue dans la France de 2022.

Tu vas commencer par aller à la crèche puis à l'école où tu apprendras le français et l'anglais. Au collège, selon tes préférences et tes aptitudes, tu pourras opter pour l'enseignement général ou l'apprentissage. Tu passeras ton bac vers 18 ans, après avoir développé tes connaissances personnelles mais aussi ta capacité à travailler en groupe et à participer à des projets collectifs. Ta sélection sur dossier d'admission à l'Université en tiendra d'ailleurs largement compte. A la sortie du collège, ta connaissance du français se révélera supérieure à celle de tes aînés et ton niveau en anglais sera dans la bonne moyenne des jeunes Européens de ton âge. Au fait, j'oubliais de te dire : la dette publique qui était à la naissance de ton grand frère, en 2015, de 30 000 euros par tête, a été ramenée grâce à la réforme de l'Etat, à quelque 20 000 euros pour ta génération. Le doudou offert par tes aînés a pris un peu moins de place dans ton berceau...

Le marché du travail s'étant débloqué depuis quelques années, tu pourras choisir de financer tes études supérieures par l'argent que tu auras gagné dans des jobs d'été, en travaillant le dimanche, ou encore en empruntant dans des conditions privilégiées. A moins que tu ne préfères commencer à travailler tout de suite, puis reprendre des études en France ou à l'étranger quelques années plus tard. En tout cas, c'est en toute connaissance des formations recherchées par les entreprises que tu détermineras ta formation. Et c'est en salariée à part entière, payée comme tes collègues masculins, que tu accéderas à ton premier job après tes études, avec un contrat de travail en bonne et due forme, dans un environnement professionnel mobile. Tu acquerras ainsi, bien plus tôt que ton frère aîné n'y sera parvenu, l'autonomie financière à laquelle tu aspires.

Peut-être même seras-tu décidée à te lancer dans l'entrepreneuriat, à créer ta propre entreprise en profitant des mesures de simplification administrative, de la baisse des charges et d'une fiscalité plus attrayante pour l'investissement entrée dans les faits au cours du dernier quinquennat. Ou bien auras-tu envie de consacrer ton temps à la réflexion, la création, la recherche… Grâce à Internet, le monde est à ta porte et donc à ta portée.

Entre-temps, grâce aux programmes de constructions lancés dès 2018, tu auras trouvé un logement dans des conditions décentes. Tu auras passé ton permis de conduire sans délais ni surcoûts prohibitifs. Tu regarderas les formules d'assurance vie et d'épargne logement dans une perspective de long terme puisque tu sais que tu prendras ta retraite après 65 ans et que c'est via une épargne capitalisée que tu assureras ton complément de revenu à l'avenir. Ta couverture santé sera satisfaisante et tu auras accès aux informations utiles en matière sanitaire, notamment pour ce qui concerne la contraception.

Rien ne sera facile, mais « yes you can », tu le sais et tu y es prête.

Tu seras française et européenne, fière d'être l'une et l'autre et attachée aux valeurs que tu partages avec tes copains d'études, d'Erasmus Pro, de vie associative ou de travail. Tu voyageras, tu choisiras ton mode de vie familial et tu entretiendras tes connaissances au gré des MOOCs dans un espace numérique dans lequel tu auras appris à naviguer dès l'enfance.

Et quand viendra le jour des élections, peut-être seras-tu candidate. Mais quoi qu'il en soit, tu iras voter. Pour que ta voix compte. Parce qu'elle vaut autant que toutes les autres.

Remerciements

Je tiens à exprimer toute ma reconnaissance à Fabrice Aubert pour la qualité précieuse de ses conseils et le soutien amical et constant qu'il m'a apporté tout au long de la rédaction de cet ouvrage.

Mes remerciements vont aussi à toutes celles et ceux qui ont bien voulu partager avec moi leur analyse de l'état des lieux et leurs réflexions quant aux solutions possibles ; à mes premiers lecteurs pour leurs remarques avisées ; et enfin à mon éditeur, pour son engagement et sa confiance.

Ce volume a été composé
par MAURY IMPRIMEUR

Cet ouvrage a été imprimé en
France
par CPI
en août 2015

N° d'édition : 18980
N° d'impression : 129770
Dépôt légal : septembre 2015